Fantômette

et l'île de la sorcière

GEORGES CHAULET

Fantômette
et l'île de la sorcière

GEORGES CHAULET

hachette
JEUNESSE

Françoise

Sérieuse et travailleuse, Françoise est une élève modèle qui se passionne pour les intrigues. Vive, pleine de bon sens et intrépide, n'aurait-elle pas toutes les qualités d'une parfaite justicière ?

Ficelle

Excentrique, Ficelle collectionne toutes sortes de choses bizarres. Malgré ses gaffes et son étourderie légendaire, elle est persuadée qu'elle arrivera un jour à arrêter les méchants et à voler la vedette à Fantomette...

Boulotte

Gourmande avant tout, elle se moque pas mal du danger... tant qu'il y a à manger !

Mlle Bigoudi

Si elle apprécie Françoise, l'institutrice s'arrache souvent les cheveux avec Ficelle et lui administre bon nombre de punitions. Que penserait-elle si elle était au courant des aventures des trois amies !?

Œil de Lynx

Reporter, il suit de près les méfaits des bandits. Il est le seul à connaître la véritable identité de Fantômette et n'hésite pas, à l'occasion, à lui filer un petit coup de main !

chapitre 1

Une lettre-surprise

La souris poursuit le chat en lui lançant des morceaux de fromage. Le malheureux minet est enfermé dans un réfrigérateur où il se transforme en bloc de glace, puis dans un four d'où il sort chauffé au rouge. Il est ensuite aplati dans un presse-purée, puis noyé dans une machine à laver. Satisfaite du traitement qu'elle a infligé à son éternel adversaire, la souris retrousse ses moustaches d'un air triomphant.

Ficelle – une fille bien trop grande pour son âge – ouvre des yeux ronds en regardant l'écran du téléviseur. La brune Françoise, un demi-sourire aux lèvres, tortille distraite-

7

ment sur un doigt ses boucles noires ; quant à la ronde Boulotte, elle est fort occupée à déplier le papier aluminium qui enveloppe une tablette géante de chocolat aux noisettes.

Les mésaventures du quadrupède moustachu ayant pris fin, un présentateur vient donner les nouvelles du jour. Il annonce que le ministre de l'Agriculture a inauguré une nouvelle usine pour la fabrication des trous de gruyère, puis que le ministre de la Marine a posé la première pierre d'un nouveau paquebot.

Mais les trois amies ne l'écoutent pas. Elles se sont lancées dans une grande discussion dont le sujet est le tartinage du beurre sur les tranches de pain. En parfaite gourmande, Boulotte affirme qu'il est plus agréable de manger une tartine dont le beurre est étalé sur la partie inférieure, parce qu'il est en contact direct avec la langue. La grande Ficelle affirme, le plus sérieusement du monde :

— Moi, je suis obligée de tenir ma tartine normalement, parce que j'y mets de la confiture. Et si je la retournais, la confiture me coulerait sur les doigts. De toute manière, je me mets toujours de la confiture plein les doigts...

— Chut ! coupe Françoise, écoutez !

Le présentateur annonce gravement :

« La fameuse justicière connue sous le nom de Fantômette vient encore de faire parler d'elle. Elle a provoqué l'arrestation du fou qui s'amusait à mettre le feu à des meules de paille dans la campagne de Hault-de-Chausses. L'extraordinaire policière a téléphoné hier soir à la gendarmerie pour signaler qu'elle venait de capturer le pyromane – c'est ainsi que l'on nomme les gens qui ont la manie d'allumer des incendies. Les gendarmes ont découvert le fou soigneusement attaché avec – ô ironie ! – un tuyau d'arrosage. Passons maintenant à la politique internationale... »

Ficelle tourne le bouton et déclare :

— Quelle fille extraordinaire cette Fantômette ! Moi, si j'étais à sa place, je ne parviendrais pas à arrêter le dixième des bandits qu'elle capture !

Françoise éclate de rire en disant :

— Personne ne te propose de faire son travail !

— Bien sûr, réplique Ficelle, mais je me demande...

Elle baisse la tête en prenant un air songeur, le menton posé sur son poing fermé, les sourcils froncés.

— ... Je me demande à quoi elle s'occupe quand elle ne pourchasse pas les bandits. Elle va peut-être à l'école ?

— C'est probable.

— Et quand elle a de mauvaises notes, comme moi, elle reste en retenue pour copier des lignes et des verbes ?

— Il ne t'est pas venu à l'idée que c'est peut-être une bonne élève que l'on ne punit jamais ?

— Heu... Non, je n'y avais pas pensé... Mais quand elle n'est pas en classe et qu'elle ne court pas après les voleurs, que fait-elle ?

— Beaucoup de choses. Elle lit des livres et des revues, elle écoute des CD, elle regarde la télévision, elle pilote un kart le dimanche, fait du ski en hiver, de la plongée sous-marine en été, du tir à l'arc ou au pistolet en toute saison...

— Oh ! Tu crois qu'elle fait tout ça ? C'est curieux, mais on a l'impression que tu la connais ?

Françoise hausse les épaules et se plonge dans la lecture de *Futur-Magazine,* dont la couverture représente un terrible combat entre cosmonautes terriens et robots martiens. Ficelle glisse dans le lecteur son CD favori : *Moi, j'aime les pom-pom-pom de terre frites*. Mais à peine les premières mesures se font-elles entendre que la sonnerie de la porte retentit. La grande Ficelle se précipite et revient quelques instants après avec une lettre que la concierge lui a remise. Elle tourne et retourne l'enveloppe entre ses doigts, l'examinant comme si elle se trouvait en présence d'un objet rare.

— C'est une lettre...

— Oui, nous le voyons bien.

— Je me demande de qui c'est. Oui, je donnerais cher pour savoir qui m'écrit ! Sapristi ! Mais qui ça peut bien être ?

— Ma chère Ficelle, il existe un moyen de savoir qui a écrit cette lettre.

— Ah ! Lequel ?

— C'est d'ouvrir l'enveloppe.

Ficelle hausse les épaules, mais suit ce sage conseil. Elle déplie la feuille, regarde la signature.

— C'est de mon oncle Arthur ! Il habite à Goujon-sur-Épuisette. Je suis allée chez lui une fois, il y a très longtemps. Je me souviens qu'à la ferme il y avait un cochon nommé...

comment s'appelait-il ? Un nom de prince des Mille et Une Nuits...

— Très poétique !

— Attends... Heu... Aladin... Non... Ah ! j'y suis ! Je l'avais baptisé Haroun al-Rachid. Je me demande s'il existe encore... Peut-être que mon oncle l'a mangé...

— C'est en général le triste sort de ce genre d'animal, même s'il a le nom d'un calife.

— Oui. En attendant, je vais vous lire cette lettre ; comme ça, je saurai ce que mon oncle veut me dire.

— Bonne idée. C'est en effet un bon système pour le savoir.

Ficelle lit le texte à haute voix, puis saute en l'air de joie. Son oncle l'invite, ainsi que ses amies, à passer quelques jours de vacances dans sa ferme.

La grande fille prend aussitôt la décision qui s'impose :

— Nous allons tout de suite faire nos bagages !

chapitre 2

En route

— Je propose, dit Boulotte, que nous établissions une liste des choses à emporter. Par exemple, le matériel pour faire la cuisine : un petit réchaud, des casseroles, des assiettes en aluminium, une moulinette à légumes...

Ficelle secoue énergiquement la tête.

— Inutile de faire une liste, et je vais vous expliquer pourquoi. Ça ne sert à rien. L'année dernière, j'en avais fait une. Une belle liste, avec tout ce dont j'avais besoin, depuis l'ouvre-boîtes jusqu'aux piquets de tente. J'avais inscrit plus de trois cents objets ! J'avais noté qu'il me faudrait de la peinture et

des pinceaux pour faire des paysages impres-
sionnants...

— Impressionnistes, rectifie Françoise.

— Si tu veux. Du ruban adhésif pour
réparer les trous dans la tente, une loupe
pour observer les sauterelles, un gros piège
à rats pour le cas où il y aurait eu des bêtes
féroces dans la région, une photo du château
d'Azay-le-Rideau...

— Pour quoi faire ? demande Françoise.

— Pour accrocher dans ma tente. C'est
très décoratif. Enfin, j'avais fait une liste
gigantesque ! Quatre grandes pages bien
pleines. Il m'avait fallu trois semaines pour
l'établir. C'était un vrai catalogue de grand
magasin. Et savez-vous ce qui s'est passé ?
Le matin du jour où je devais préparer
mes bagages, je n'ai pas pu mettre la main
dessus !

— Tu l'avais perdue ?

— Non, je l'avais égarée. C'est un des
grands malheurs de ma vie !

Elle soupire. Françoise sourit :

— Nous allons faire une autre liste, et nous
ferons des efforts désespérés pour ne pas la
perdre.

Ficelle s'empare d'un dictionnaire et
déclare :

 14

— Je vais le feuilleter en prenant tous les mots par ordre alphabétique. Françoise notera tout ce qui pourra nous être utile. Je commence. Un abaisse-langue... C'est une petite cuiller qui sert à appuyer sur la langue en faisant « Aaaa ! » Ce sera très utile, dans le cas où nous tomberions malades. Abaque... heu... c'est une espèce de dessin qui sert à faire des calculs... Non, cela ne peut pas nous être utile... Abat-jour. Ça, oui, c'est utile et beau. J'emporterai celui qui est sur la lampe de ma chambre. Il est rose avec de petites fleurs mauves.

On note successivement abeille, ablette, abricot, accordéon, accroche-plat et accumulateur. Puis on passe à la lettre B, à la lettre C, et finalement tout le dictionnaire est compulsé. Ce travail prend à Ficelle et Boulotte une bonne partie de l'après-midi, que Françoise consacre, de son côté, à la lecture de trois comédies de Molière. Finalement, Ficelle pousse un grand soupir de soulagement et annonce à son amie que la liste est terminée.

— Tu m'en vois ravie, dit Françoise. Et tu vas emporter tout ce que tu as noté ?

— Oui. C'est indispensable pour passer de bonnes vacances. Nous avons noté cinq cents objets. J'ai battu le record de ma liste précédente, celle que j'avais égarée. Mais toi, que vas-tu mettre dans ta valise ?

— Moi ? Je vais y mettre ce que j'emporte habituellement quand je voyage.

— Ah ! Quoi donc ?

— Un pyjama et une brosse à dents.

— Où est passée mon aiguille à tricoter ? demande la grande Ficelle.

Silence.

Ficelle répète :

— Hé ! Dites, où est mon aiguille à tricoter, la bleue ? Vous pourriez me répondre !

Mais Françoise et Boulotte sont bien trop affairées pour s'occuper de leur amie. La première lit *Les Trois Mousquetaires,* et la seconde déplie l'emballage triangulaire d'une portion de fromage fondu.

Les trois filles occupent un compartiment dans un train qui avance à grande vitesse à travers la campagne. Cette campagne, qui semble se composer essentiellement de champs et de fermes isolées, défile derrière la fenêtre dont la vitre est baissée. Ce qui permet à un courant d'air rafraîchissant de circuler dans le compartiment transformé en étuve par un soleil intense.

Constatant que ses deux amies ne prennent qu'un intérêt médiocre à la recherche de l'aiguille, la grande Ficelle entreprend de fouiller dans les divers sacs, paquets et valises dont ces demoiselles se sont encombrées. Elle se met debout sur la banquette, retire du porte-bagages une valise de plastique brun et l'ouvre. Elle s'écrie :

— Oh ! mais c'est plein de boîtes de conserve !

Boulotte cesse de mastiquer son fromage pour demander :

— Et pourquoi pas ? Quand on part faire du camping, il faut bien emporter des provisions ! Je ne sais pas si nous trouverons de quoi manger à Goujon-sur-Épuisette.

— Bah ! crois-tu que nous allions chez les sauvages ? ou au milieu du Sahara ?

— Non, mais je ne suis pas très sûre de trouver des champignons du Parfait Lucullus, ou de la sauce gastronomique.

— De la sauce comment ?

— Gastronomique. C'est-à-dire fabriquée spécialement pour les gastronomes.

— Ah ! oui, les gens qui regardent les étoiles dans des lunettes...

Ficelle poursuit ses recherches, ouvrant et fermant les mallettes, défaisant les paquets sans cesser de grommeler. Françoise lui demande :

— Mais pourquoi cherches-tu ton aiguille dans nos bagages ? Tu vois bien que ton paquet d'aiguilles est ici, sur la banquette !

— Oh ! je le sais bien. Mais celles-ci sont vertes. Je ne peux tout de même pas tricoter de la laine bleue avec des aiguilles vertes ! Il faut qu'elles soient d'une couleur assortie à celle de la laine.

La grande fille continue ses fouilles dans les bagages, mettant sens dessus dessous les jupes, les chemisiers, les gilets et les socquettes. Après vingt bonnes minutes de recherches, elle pousse un cri de victoire.

—Ça y est ! Je les ai retrouvées ! Maintenant je vais pouvoir tricoter.

C'est cet instant que choisit le train pour entrer en gare de Goujon-sur-Épuisette, but du voyage.

chapitre 3

L'île mystérieuse

En arrivant à Goujon, les trois filles sont bien loin de se douter qu'une extraordinaire aventure les attend dans cette petite ville qui n'a encore jamais fait parler d'elle.

Cette petite ville se compose d'un certain nombre de maisons alignées de part et d'autre d'une rue principale qui s'appelle tout simplement la Grand-Rue. Une étroite voie latérale, tortueuse et mal pavée, conduit à l'église de Saint-Cyriaque (style roman, XIIᵉ siècle), remarquable par un vitrail qui représente le patriarche de Constantinople traversant le Bosphore sur une barque remorquée par un gros poisson rouge.

Au centre de l'agglomération, la Grand-Place est limitée au nord par la halle (une horrible bâtisse en bois qu'un incendie détruit deux ou trois fois par siècle et que l'on reconstruit systématiquement), au sud par un long bâtiment de pierre blanche divisé en deux parties. L'une constitue la mairie, l'autre est pour les mauvais élèves ce lieu de supplice que l'on nomme l'école.

Derrière la mairie-école, une place carrée ombragée par des platanes est le lieu de réunion de quelques notables qui font des parties de boules. On peut voir là chaque jour M. le maire, homme jovial et bedonnant ; M. Plume, le libraire, qui passe pour un fin lettré mais préfère regarder la télévision plutôt que d'ouvrir un livre ; M. Pomme, le facteur ; M. Goutte, le pharmacien. Sans oublier M. Botte qui tient un magasin d'articles pour la pêche et la chasse.

Si nous suivons la Grand-Rue, nous passons sur un vieux pont de pierre, le Pont-Nouveau, dont les piliers mijotent depuis près de trois siècles dans les eaux de l'Épuisette. Sur ce pont stationnent en permanence une demi-douzaine de pêcheurs qui observent avec patience les sautillements de leurs bouchons. Parfois, un jeune poisson peu expérimenté se fait prendre. L'événement occupe les conversations pendant une semaine.

La gare se trouve à quelque distance de la ville. C'est une gare complète, avec un guichet pour les billets, une consigne, une entrée et une sortie pour les voyageurs. Mais les usagers du train, d'ailleurs peu nombreux, ont pris l'habitude de ne passer que par l'entrée, dont la porte est plus large que celle de la sortie, ce qui fait grommeler M. Pinson, le chef de gare, à l'arrivée de chaque convoi :

— Ça y est ! Ils passent encore par l'entrée ! Pourtant il y a une inscription au-dessus de la porte ! Depuis vingt ans que je suis ici, c'est toujours la même chose ! (Il n'est pas encore venu à ce brave homme l'idée de changer l'inscription de place, en transformant l'entrée en sortie officielle.)

Ficelle, Françoise et Boulotte ne font pas exception à la règle : elles sortent par l'entrée. Une fois hors de la gare, Ficelle consulte un petit carnet d'adresses à couverture jaune, ce qui lui permet de retrouver le numéro de téléphone de son oncle. Les trois filles entrent au *Café des Boulistes* et obtiennent tout de suite la communication avec la ferme de l'oncle Arthur. Ce dernier annonce son arrivée immédiate.

Boulotte est sur le point de commander un café au lait avec des croissants, quand une 2 CV pétaradante s'arrête devant le café. Un grand gaillard en descend, qui s'avance vers les trois filles en souriant.

Ficelle se précipite et le mitraille de questions :

— Bonjour, mon oncle ! Comment allez-vous ? Et la ferme ? Et la chienne Pompadour ? Et le chat Asticot ? Et Haroun al-Rachid ?

— Pompadour et Asticot se font bien vieux. Quant au cochon, il a été transformé en saucisses depuis longtemps.

— Ah ! je m'en doutais.

— Mais toi, comment te portes-tu ? Et tes jeunes amies ? Avez-vous fait bon voyage ?

Les présentations faites, on s'embarque dans la voiture qui tourne ses roues en direction de la ferme. En cours de route, l'oncle arrête l'auto pour faire le plein d'essence à une station-service. Ficelle se tourne vers ses amies :

— Il est tout nouveau, ce poste d'essence. Quand je suis venue, la dernière fois, il y avait ici un petit champ tout plein de coquelicots bleus.

— Des coquelicots bleus ? s'étonne Françoise.

 22

— Oui.

— Tu es sûre que c'étaient des coquelicots ?

— Oh, oui !... En tout cas, ça y ressemblait
beaucoup !

La voiture repart, quitte la route pour
s'engager dans un chemin de traverse, longe
la rive de l'Épuisette pendant quelques
minutes, puis s'arrête devant le portail en
bois d'une ferme.

C'est un long bâtiment au toit de tuiles
romaines, aux murs blanchis à la chaux.
À gauche, un jardin potager ; à droite, un
hangar abritant divers instruments agricoles
et un petit tracteur. Devant : la basse-cour,
la pompe et l'abreuvoir. Un peu partout des
volailles très occupées à picorer le sol.

Une chienne à longues oreilles se précipite vers les nouveaux venus en jappant et
en faisant de grands bonds. Le chat Asticot
se montre plus distant. Il observe le petit
groupe d'un œil soupçonneux pendant
quelques secondes, puis ayant constaté qu'on
ne lui manifeste aucune hostilité, il s'allonge
tranquillement au pied de l'abreuvoir pour
dormir au soleil.

Il est près de midi, heure opportune pour
déjeuner. Les jeunes invitées – et Boulotte

en particulier – apprécient le repas préparé par Marie, la cuisinière. Puis les trois amies font une petite sieste à l'ombre des hauts peupliers qui s'alignent à cent pas de la ferme, tout au long de l'Épuisette.

Ficelle met fin à cette intéressante occupation en déclarant :

— Nous ne sommes pas en vacances pour flemmarder sur l'herbe. Notre institutrice nous a dit qu'il fallait profiter de nos voyages pour nous instruire en contemplant les vieux monuments et en cherchant des curiosités pittoresques.

— Ah ? demande Françoise. Mlle Bigoudi n'a pas dit que les vacances étaient faites pour se reposer ?

— Non, non ! Il ne faut jamais perdre une occasion de s'instruire.

— Bon. Alors, si Mlle Bigoudi l'a dit, c'est qu'elle doit avoir raison.

Mettant donc en pratique les bons conseils de leur institutrice, les trois amies se rendent à Goujon-sur-Épuisette et s'arrêtent au milieu de la Grand-Place. Ficelle regarde autour d'elle en fronçant les sourcils, pour essayer de découvrir quelque lieu digne d'être visité avec minutie. Elle se gratte le bout du nez, ce qui est sans doute le signe d'une réflexion profonde, et déclare :

— C'est bizarre... à part l'église, je ne vois aucun monument célèbre, aucun château historique... Nous devrions nous renseigner pour savoir s'il se trouve dans la région un genre de tour Eiffel ou de Colisée...

Boulotte pointe un doigt vers une pâtisserie d'allure accueillante, dont les larges vitrines contiennent des piles de millefeuilles et de palmiers, des montagnes de brioches et une appétissante collection de tartes aux fraises.

— Une visite dans cette boutique sera certainement profitable et instructive. Profitable, parce que j'y ferai l'emplette de quelques-unes de ces sympathiques tartelettes, et instructive parce qu'on pourra sans doute nous donner des renseignements sur les curiosités du pays.

Les trois amies pénètrent dans la pâtisserie et Boulotte se penche avec un intérêt visible sur les rangées de gâteaux, en ouvrant tout grand ses yeux et ses narines. Elle passe la langue sur ses lèvres en se demandant ce qu'elle va choisir en premier. Cette tarte aux prunes, ce baba, ce millefeuille ? Pendant qu'elle se livre à cette activité aussi délicate qu'agréable, Françoise interroge la caissière qui répond :

— Vous cherchez un monument qui vaille la peine d'être visité, mademoiselle ? Ma foi, nous n'avons pas cela dans la région. Il y a bien la halle, à la rigueur... Mais on ne peut pas dire qu'elle soit jolie-jolie. Les jeunes disent que c'est une vieillerie que l'on ferait bien de démolir, pour construire une piscine à la place.

— Et dans les environs, demande Ficelle, il n'existe pas quelque lieu amusant ? Par exemple, un vieux château hanté, un cimetière avec des squelettes ou une tour pleine de pendus ?

— Ciel ! Non, nous n'avons rien de ce genre, heureusement !

Ficelle a l'air très déçue. Elle insiste cependant :

— Vous êtes bien sûre qu'il n'y a aucune curiosité à Goujon-sur-Épuisette ? Les touristes, où vont-ils donc ? Ils doivent tout de même trouver quelque chose à photographier !

— Les touristes ? heu... à vrai dire, il n'y en a pas. Ici, ce n'est pas la Côte d'Azur ou Chamonix...

La caissière réfléchit pendant un moment, essayant de découvrir quelque particularité de la ville susceptible d'intéresser les jeunes filles, puis elle hoche la tête.

— Non, décidément je ne vois rien. Comme distractions, il n'y a que le cinéma et les parties de boules sur la place. Et vous pouvez toujours vous promener dans la campagne ou canoter sur l'Épuisette. Ah ! attendez... Cela me fait penser qu'il y a une curiosité au sujet de l'Épuisette, justement.

— Dites vite !

— Oh ! vous savez, quand je dis curiosité, c'est un bien grand mot... Enfin, puisque vous êtes à la recherche de choses un peu bizarres, je vous signale qu'il y a une île au milieu de l'Épuisette, à trois ou quatre kilomètres en amont de la ville. On l'appelle l'île de la Sorcière.

— Oh ! oh ! Mais voilà qui est intéressant ! Et il y a une sorcière dessus ?

— Ça, je serais bien en peine de vous le dire ! Tout ce que je sais, c'est que personne n'y va jamais. C'est dangereux. À cause des tourbillons de l'eau, je crois. Vous prenez aussi la tarte aux fraises, mademoiselle ? Parfait ! je vais vous faire le total.

Boulotte paie ses gâteaux, et les trois amies, après avoir remercié la caissière pour les précieuses indications qu'elle leur a fournies, sortent de la pâtisserie. La grande Ficelle contient à grand-peine son enthousiasme :

— Vous rendez-vous compte ! Une île déserte avec une sorcière dessus ! C'est merveilleux !

— Comment se fait-il, demande Françoise, que tu ne connaisses pas l'existence de cette île, puisque tu es déjà venue en vacances à la ferme ?

— Oh ! tu sais, j'étais toute petite, et je ne suis restée qu'une semaine. De plus, j'étais enrhumée et j'ai gardé la chambre tout le temps. Alors, tu vois que je n'ai pas eu le temps de visiter Goujon et ses environs. Mais maintenant, je vais me rattraper. Une île avec un trésor et des pirates ! Je sens que je vais vivre une grande aventure !

— La pâtissière n'a pas parlé de pirates ni de trésor. Tu as l'imagination qui délire, ma pauvre Ficelle.

— Mais voyons ! Réfléchis un peu ! Dans toutes les îles désertes, il y a un trésor de pirates caché dans le sable. Et s'il y a une sorcière, c'est qu'elle est chargée de veiller sur le trésor. C'est évident ! Si tu lisais des illustrés un peu plus souvent au lieu de perdre ton temps avec Molière ou Victor Hugo, tu saurais que les trésors sont toujours gardés par des dragons, des géants ou des enchanteurs. C'est bien connu !

Françoise n'insiste pas. Il est inutile de faire sortir Ficelle de ses rêveries. Puisqu'elle est déjà convaincue de l'existence d'un trésor, mieux vaut lui laisser ses illusions. Chacun a le droit de prendre son plaisir à sa guise : Boulotte, dans les confiseries ; Ficelle, dans les aventures imaginaires. Françoise, pour sa part, garde ses deux pieds bien au sol et raisonne avec une froide logique. Elle déclare :

— Quand nous aurons exploré cette île, nous saurons bien si elle contient un trésor. À moins qu'il ne soit caché à dix pieds sous terre...

— Bah ! il nous suffira d'avoir un vieux parchemin indiquant l'emplacement de la cachette. En cherchant un peu, nous allons sûrement le trouver. Vous êtes bien d'accord pour que nous allions tout de suite dans cette île ?

Françoise fait la moue :

— La pâtissière a dit que personne ne s'y rend à cause des tourbillons. Il serait

29

peut-être prudent de nous renseigner un peu mieux avant d'aller nous noyer inutilement.

— Tu crois ?

— Oui. Puisque tu as lu toutes sortes d'histoires, tu dois savoir qu'avant de se livrer à une exploration, on prend le temps de réfléchir et de mesurer les risques que l'on va courir. Commençons par tirer au clair cette affaire de tourbillons.

— Mais qui va nous donner des renseignements ?

— Les personnes qui connaissent l'Épuisette, qui sont familiarisées avec son cours.

— Qui donc ?

— Les pêcheurs. Ceux qui sont plantés sur le Pont-Nouveau, dans l'attente d'un hypothétique goujon.

Ficelle juge l'idée bonne et prend la tête du petit groupe qui se dirige d'un pas décidé vers la Grand-Rue. Cinq minutes plus tard, nos vacancières entreprennent d'interviewer M. Pomme, le facteur. C'est un homme grand et maigre, au nez en coupe-vent (comme sont, par exemple, les nez des champions cyclistes). La casquette sur l'oreille, l'œil aigu surveillant les mouvements d'un gros bouchon rouge et blanc, il écoute les questions qui lui sont posées.

Après un instant de réflexion, il pousse deux ou trois grognements, sort sa ligne de l'eau pour changer le ver, et répond gravement :

— L'île de la Sorcière ? Oui, je la connais bien. Elle est un peu plus haut, en amont. C'est un bout de terre de forme allongée. Tenez, comme ce flotteur. Il y a des arbres dessus, de l'herbe et de la broussaille. Quand je dis que je la connais, d'ailleurs, c'est une façon de parler. Je la connais de vue. J'ai déjà pêché à proximité, en barque. Il y a de l'ablette par là.

— Mais, demanda Françoise, vous n'êtes pas allé dessus ?

— À vrai dire, non. Elle a une assez mauvaise réputation, vous savez. On ne peut guère s'en approcher parce qu'il y a des tourbillons autour et des roseaux qui arrêtent les barques. Et l'on affirme qu'autrefois elle servait de repaire à une vieille sorcière.

Il choisit soigneusement un asticot dans une vieille boîte de conserve, l'accroche à son hameçon et lance la ligne dans l'eau d'un geste large.

— Notez bien que les sorcières, je n'y crois pas. Mais c'est un fait qu'on en trouve !

Il fait faire quelques tours à son moulinet, ramène sur l'arrière de son front sa casquette qui menace de faire un plongeon dans l'eau, et demande :

— Mais dites-moi... Pourquoi donc vous intéressez-vous à cette île ? Vous avez l'intention d'y aller ?

— Oui, répond Ficelle, nous nous intéressons aux curiosités de la région, et nous avons bien envie de voir si cette sorcière existe réellement.

Le facteur Pomme hoche la tête :

— À votre place, je n'irais point. Si votre barque chavire dans les remous et les tourbillons, vous risquez de vous noyer. Et en admettant que vous ne chaviriez pas, les roseaux vous empêcheront de débarquer... Oh ! je crois bien que j'ai une touche ! Ça mord, ça mord ! Ça y est, c'est un goujon, et un gros ! Oh ! là ! là ! Il mesure au moins cinq centimètres de long... une belle pièce !

Tout occupé par sa prise, il se désintéresse des filles qui poursuivent leur chemin.

— Alors, demande vivement la grande Ficelle, vous êtes d'accord pour que nous allions explorer cette île ?

Boulotte ne peut répondre, car elle a la bouche remplie par une madeleine, mais elle fait un signe affirmatif.

— Et toi, Françoise ?

— Moi, je veux bien. À condition que tu mettes une ceinture de sauvetage, étant donné que tu nages avec l'aisance d'une charrue.

— Oh ! tu voudrais faire croire que je ne sais pas nager ? Je nage aussi bien qu'une sardine bretonne !

— Et il t'arrive de te baigner là où tu n'as pas pied ?

— Non ! J'aurais bien trop peur de boire la tasse !

Les trois amies quittent la petite ville et retournent à la ferme de l'oncle Arthur. Elles commencent aussitôt les préparatifs de l'expédition qui doit – du moins elles l'espèrent – leur permettre de prendre pied sur l'île mystérieuse.

chapitre 4

Première
tentative

La principale caractéristique d'une île étant d'être entourée d'eau, il faut tout d'abord se procurer un bateau. Ficelle interroge son oncle à ce sujet, et apprend qu'une barque est remisée dans le hangar, entre une charrue et un concasseur à grains.

Les trois amies se rendent à l'endroit indiqué et constatent que la barque s'y trouve bien. Malheureusement, elle semble hors d'usage depuis longtemps, car elle sert de récipient pour un fort bel échantillonnage de vieille ferraille ; un bidon d'huile pour moteur s'est renversé à l'intérieur en formant une mare noirâtre, et quelques générations de poules l'ont prise pour perchoir, en y laissant force immondices. Le bois s'est desséché et les planches disjointes s'écartent les unes des autres, faisant apparaître de larges fissures.

Ficelle examine la piteuse embarcation avec une grimace qui exprime sa déception.

— Oh ! là ! là ! C'est sur cette carcasse préhistorique que nous devons naviguer ? Si j'avais su, j'aurais inscrit un canot pneumatique sur notre liste !

— On pourrait peut-être la nettoyer et la remettre en état ? suggère Boulotte.

— Oui, mais ça va être un gros travail !

— Nous n'avons rien d'autre à faire... À moins que tu ne préfères aller jusqu'à l'île en nageant ?

— Non, bien sûr. Mais pour nettoyer cette barque, nous allons sûrement nous salir !

— Eh bien, nous nous nettoierons.

— Oui, mais...

Pendant que Boulotte et Ficelle discutent, Françoise entreprend de débarrasser le bateau des bouts de fer qui l'encombrent. Ses amies finissent par l'imiter. Boulotte découvre avec ravissement des boîtes de conserve vides qu'elle empile dans un coin du hangar après avoir pris connaissance des étiquettes. La barque est vidée et nettoyée à grand renfort de lessive. Puis on bouche les fissures avec un mastic inventé sur-le-champ par Ficelle, constitué par un mélange de terre glaise, de sciure de bois et de vieux journaux réduits en pâte.

L'oncle Arthur vient jeter un coup d'œil sur le chantier, examine le calfatage et déclare en riant :

— Avec ce genre de bouche-trous, vous n'irez pas bien loin. Je vous conseille de ne pas vous éloigner de la rive, sinon vous pourriez bien prendre un bain !

— Mais non, dit Ficelle, je suis sûre que ça tiendra.

— Bon, bon. Mais tu es prévenue...

Malgré cet avis pessimiste, Ficelle s'obstine dans son projet, et la barque, baptisée pour la circonstance *Terreur des océans,* est transportée jusqu'à la rive et mise à l'eau. Ficelle triomphe :

— Qu'avais-je dit ? Il n'entre pas une goutte d'eau ! Maintenant embarquons.

Les trois filles montent à bord de l'esquif et Françoise se met aux rames, remontant à contre-courant.

— Dans un quart d'heure, affirme Ficelle, nous poserons le pied sur l'île. Alors, à nous le trésor ! Je pourrai m'acheter un collier d'ambre jaune en plastique et des chaussures à lanières vertes, assorties à ma magnifique chevelure blonde !

— Attends un peu de l'avoir trouvé, dit Françoise. Pour l'instant, tu es en train de bâtir des châteaux de cartes sur du sable.

Après cinq minutes de navigation, un fait nouveau apparaît : l'eau s'infiltre de toutes parts, se jouant du mastic improvisé, en formant dans le fond une mare dont le niveau monte à vue d'œil.

— Nous coulons ! s'écrie Boulotte.

— Mais non, dit Ficelle, c'est tout juste un peu d'humidité qui suinte...

Ficelle doit pourtant se rendre à l'évidence. Subitement inquiète, elle demande à Françoise de faire demi-tour. Celle-ci lui dit ironiquement :

— Je croyais que tu savais nager ?

— Oui, réplique Ficelle, mais pas dans l'eau !

Avec un calme parfait, Françoise manœuvre la barque pour la faire virer de bord. Quelques minutes plus tard, les demi-naufragées se retrouvent sur la terre ferme. Ficelle se lamente :

— Il n'y a rien à tirer de ce vieux rafiot !
Nous ne parviendrons jamais jusqu'à l'île !
Le trésor sera perdu pour tout le monde...

De loin, l'oncle Arthur a assisté à leur navigation malheureuse. Il explique à Ficelle que, pour refermer les fentes, le plus simple serait de laisser la barque séjourner dans l'eau pendant quelques heures, jusqu'à ce que le bois ait gonflé.

— Demain matin, vous pourrez la reprendre, et elle ne coulera plus. Vous comptiez aller loin ?

— Jusqu'à l'île de la Sorcière. Nous voulons vérifier s'il y a bien une sorcière dessus.

L'oncle se met à rire.

— Non, il n'y en a sûrement pas. Tout ce que vous pourrez trouver, ce sera sans doute des moustiques ou des grenouilles.

— Ah ! Tout de même, j'aimerais voir cette île de près.

— Eh bien, il n'est pas nécessaire d'y aller en bateau. Il vous suffit de prendre le petit chemin qui longe la rive. Mais vous verrez que ce bout de terre mouillée ne présente aucun intérêt.

— Cela ne fait rien. Allons-y !

Les trois amies s'engagent dans le petit chemin poudreux qui court tout au long de la berge. À droite, ce sont des prés à vaches, des champs délimités par des haies entrelacées de ronces portant des grappes de mûres encore vertes, que Boulotte regarde en soupirant. À gauche, l'Épuisette flâne entre des rives couvertes d'herbe, mouillant au passage des joncs, et des branches de saules pleureurs courbées sur l'onde. Le soleil commence à descendre sur l'horizon, abandonnant des reflets jaunes parmi les vaguelettes de la rivière. Dans les peupliers plantés çà et là au long du cours d'eau, des oiseaux se chamaillent pour prendre place sur les hautes branches. Ficelle accompagne leur concert en lançant à tue-tête une vieille chanson de marin.

Après une demi-heure de promenade, les trois filles parviennent en vue de l'île. C'est, ainsi qu'elle leur a été décrite, une longue bande de terre ancrée au milieu du courant. Des peupliers figurent les innombrables mâts de ce navire immobile. Le sol n'est guère visible, étant recouvert par des masses de buissons et de broussailles dont la croissance doit être favorisée par l'humidité du terrain. Une véritable clôture naturelle faite de roseaux contribue à cacher la base de l'île, en même temps qu'elle semble en interdire l'accès. Boulotte hoche la tête :

— J'ai l'impression que, même si le bateau n'avait pas coulé, nous n'aurions pas pu débarquer. Regardez : il n'y a pas moyen de s'approcher. Ou alors, il faut passer à travers les roseaux... Mais comment faire pour manœuvrer les rames dans ce fouillis de cannes à sucre ?

Elles s'assoient sur la berge, contemplant le repaire présumé de la sorcière avec une certaine perplexité. Boulotte propose de renoncer à l'expédition.

— Après tout, puisqu'il n'y a là rien d'intéressant, je ne vois pas pourquoi nous irions. J'aime bien mieux rester à la ferme, pour aider Marie à faire la cuisine.

— Je crois que Boulotte a raison, approuve Françoise, qu'irions-nous faire sur cette île ?...

La grande Ficelle proteste avec véhémence :

— Si vous ne voulez pas y aller, j'irai toute seule ! Et ce ne sont pas trois malheureux roseaux qui m'empêcheront de passer. Demain matin, je remonte sur la *Terreur des océans* avec des provisions, une pelle et une pioche, je débarque, je déterre le trésor que je garde pour moi toute seule. Voilà !

Elle se relève et reprend le chemin de la ferme ; Boulotte lui emboîte le pas. Françoise cueille une pâquerette dont elle se met à mâchonner la tige, se relève à son tour et jette un dernier coup d'œil sur l'île.

C'est alors qu'elle aperçoit, s'élevant au-dessus de la pointe amont, un mince filet de fumée bleue. Elle reste immobile quelques secondes, murmure : « Tiens... tiens ! » et rejoint ses compagnes.

Ficelle, qui a lu récemment un ouvrage relatant les aventures des explorateurs célèbres, se lance dans une grande conférence sur l'art d'organiser une expédition. Elle explique que Charcot emportait au pôle de la viande séchée, que Stanley traversait l'Afrique avec l'aide de porteurs et que Paul-Émile Victor se faisait toujours livrer son matériel par avion.

— Moi, aussi, je vais me munir d'un sérieux matériel pour explorer cette île. Cet après-midi, nous avons essuyé un échec parce que notre préparation était insuffisante.

Elle prononce cette dernière phrase d'un air d'importance qui fait pouffer de rire ses amies. Furieuse, elle tape du pied.

— C'est très sérieux ! Je vais réfléchir à la question pendant toute la nuit, établir une liste de marchandises à emporter et demain... vous verrez !

Dès son retour à la ferme, elle prend un papier et un crayon pour dresser sa liste. Elle fait figurer en premier la photo du château d'Azay-le-Rideau qu'elle a eu grand soin d'emporter de chez elle.

chapitre 5

Débarquement nocturne

Fantômette marche le long de la Grand-Rue, déserte à cette heure tardive. Seuls quelques cafés restent encore ouverts, taches de lumière dans la rue sombre. Elle traverse la place principale, franchit l'Épuisette sur le Pont-Nouveau et, quelques minutes plus tard, atteint la gare.

Accoudé au zinc du buffet, M. Pinson tourne une cuillère dans une tasse de café noir en attendant l'omnibus de 23 h 12. Fantômette s'approche de lui et tend un bulletin de consigne. Le chef de gare chausse des lunettes à fine monture de fer, examine

la feuille vert pâle et approuve d'un hoche-
ment de tête.

— On va vous donner ça tout de suite,
mademoiselle.

Il pousse la porte de la consigne, examine
un tas de valises en murmurant : « Voyons
voir... » Mais Fantômette a déjà aperçu le
colis qu'elle est venue chercher.

— C'est celui-là, au fond.

M. Pinson vérifie le numéro porté sur l'éti-
quette et remet à la jeune fille un paquet de
forme oblongue, enveloppé de papier gris.

La jeune aventurière sort de la gare et
revient sur ses pas, vers le Pont-Nouveau.
Personne sur le pont, personne aux alentours, si ce n'est un chat de gouttière courant furtivement le long du parapet. Elle
descend un escalier dont les degrés de pierre
donnent accès à un quai qui borde la rive sur
une centaine de mètres. Elle coupe la ficelle
qui enserre le paquet, développe le papier
et dépose sur le quai une demi-douzaine de
longues pièces de bois verni, assorties d'un
rouleau de toile bleue. En quelques mouvements rapides et précis, elle assemble les
éléments de bois, les recouvre avec la toile, et
obtient ainsi un léger kayak. En un clin d'œil,
elle revêt le costume qu'elle porte habituelle-

ment au cours de ses expéditions de nuit : un maillot collant, une cape de soie rouge et un masque noir. Puis elle met à l'eau la légère embarcation et y prend place.

Elle commence à remonter le courant, grâce à de longs coups de pagaie, réguliers et silencieux, en restant à courte distance de la rive, là où le mouvement de l'eau est le plus faible.

Elle dépasse le quai, traverse la ville. La nuit est toujours aussi noire, aussi calme. Les Goujoniens se mettent au lit de bonne heure et la vie nocturne de la petite cité est inexistante.

Au bout d'une dizaine de minutes, la rivière sort de Goujon et se met à serpenter à travers la campagne. Fantômette jette un coup d'œil sur sa montre.

« Onze heures et demie. C'est parfait. Je serai dans l'île avant minuit. »

Une demi-heure plus tard en effet, elle arrive en vue de l'île de la Sorcière qui forme une masse sombre assez confuse. Elle s'en approche, engage la pointe du kayak entre les roseaux et tente de s'y frayer un passage.

« Ils sont trop serrés, trop denses... pas moyen d'avancer. Essayons ailleurs. »

Elle dégage l'embarcation, entreprend de contourner l'île. Cinquante mètres plus haut, elle découvre un endroit où les roseaux paraissent moins nombreux. Elle met dans le kayak la pagaie devenue inutile, empoigne les tiges et les écarte pour permettre à l'esquif de se glisser jusqu'au bord de l'île. Elle y parvient assez rapidement.

« Bon, c'est plus facile que je ne le pensais. Maintenant, jetons un petit coup d'œil sur l'intérieur. »

Elle saute à terre, tire le kayak hors de l'eau et s'engage sous le couvert des arbres. Quoique la nuit soit profonde, ses yeux de chat lui permettent de discerner les obstacles qui s'élèvent devant elle et qu'il faut contourner : buissons, troncs de peupliers, arbustes ou touffes épaisses de hautes fougères. Elle parcourt ainsi une centaine de mètres, sans faire de bruit, se dirigeant vers la pointe de l'île située en amont. Elle distingue une masse sombre, carrée, plus grande qu'un buisson. C'est une cabane en planches, couverte d'une tôle ondulée. La porte est entrouverte. Fantômette la pousse et s'arrête sur le seuil. Elle sort d'une petite poche une lampe électrique qu'elle allume. Le faisceau blanc éclaire un intérieur à peu près vide. Un banc, quelques vieilles bouteilles.

« Si une sorcière habite ici, elle ne peut se vanter de posséder un riche mobilier. Il n'y a même pas un de ces fameux chaudrons qui servent à préparer les philtres magiques... »

Fantômette s'apprête à sortir, quand le pinceau lumineux accroche un objet noir qui gît dans un coin, derrière la porte.

« À défaut de chaudron, voilà toujours une poêle à frire ! »

Elle se baisse, saisit la poêle pour l'examiner de plus près. Elle en frotte légèrement la surface avec un doigt.

« De l'huile. On s'en est servi récemment pour faire cuire quelque chose... »

Elle replace l'objet dans son coin, éteint la lampe et sort de la cabane. Poursuivant sa visite, elle marche jusqu'à la pointe de l'île qui fend l'onde avec un clapotis, comme une proue de navire.

Elle reste là pendant un moment, adossée à un tronc de peuplier, rêvant sous les étoiles. Son expédition nocturne n'a pas eu le succès qu'elle escomptait.

« J'aurais mieux fait d'aller me coucher. Cette île ne présente rien de suspect, et je ne vois vraiment pas pourquoi on lui a fait une mauvaise réputation. Elle n'est hantée par aucune espèce de sorcière. Les seuls visiteurs sont sans doute quelques pêcheurs qui viennent taquiner le goujon en croquant des frites qu'ils font chauffer dans une poêle. Il faut être une petite folle comme moi pour aller imaginer qu'il y a ici un mystère ! »

Elle fait demi-tour, revient à l'endroit où elle a laissé son kayak. Elle le met à l'eau, elle embarque et traverse de nouveau la barrière de roseaux, puis elle pagaie au fil de l'eau, en se plaçant cette fois-ci au milieu du courant pour augmenter sa vitesse. Après un quart d'heure de trajet rapide, elle se rapproche de la rive gauche, aborde et dissimule son kayak tout contre la berge, sous les branches d'un saule.

Quelques minutes plus tard, la jeune justicière se glisse entre deux draps et s'endort aussitôt. Elle ne se réveille même pas quand un chat noir vient se rouler en boule sur son estomac.

chapitre 6

Expédition

— J'ai réfléchi, s'écrie la grande Ficelle.

— Tant mieux ! s'esclaffe Françoise. La chose est rare et mérite d'être notée ! Oyez, bonnes gens ! Notre Ficelle nationale s'est mise à réfléchir ! Vous rendez-vous compte ? Elle pense, maintenant !

Ficelle devient rouge de fureur.

— Parfaitement, je pense, moi ! J'ai un cerveau aussi gros que celui de Glaise Pascal, l'inventeur de la brouette.

— Blaise Pascal ! rectifie l'oncle Arthur en ajoutant : Ma chère nièce, tu ferais mieux de manger tes tartines au lieu de te fâcher. Ne vois-tu pas que Françoise te taquine ?

— Je... je...

— Allez, ne laisse pas ton café au lait refroidir. Prends plutôt exemple sur Boulotte. Si tu ne te dépêches pas, elle ne va rien te laisser.

Les habitants de la ferme prennent le petit déjeuner dans la salle commune. Tout le monde est de bonne humeur, excepté Ficelle. Elle décrète que Françoise est une grande vilaine, puis elle engloutit deux ou trois tartines. Sa colère s'étant alors dissipée, elle expose le programme qu'elle a élaboré :

— Aujourd'hui, nous allons procéder à l'exploration de l'île de la Sorcière. Nous allons rassembler toutes les provisions nécessaires, les embarquer sur la *Terreur des océans* et mettre le pied sur l'île. Ensuite, nous établirons un campement et nous dresserons une carte.

— Une carte ? demande Boulotte, pour quoi faire ?

— Si nous devons séjourner sur cette île, il est indispensable que nous connaissions sa position, sa forme, son relief. Quand Scott et Amundsen exploraient le pôle Sud, ils établissaient des cartes.

— Tu ne vas tout de même pas comparer ce petit îlot avec le continent antarctique !

— Bien sûr. Mais il faut agir comme le font les explorateurs. J'emporterai un crayon et un double-décimètre. Il nous faudra aussi des provisions pour ne pas mourir de faim.

— Je m'en charge ! propose Boulotte.

Ficelle fronce les sourcils.

— Nous avons également besoin d'armes. Nous risquons d'être bloquées dans l'île par des ennemis.

— Lesquels ? s'enquiert Françoise.

— Je ne sais pas, moi, des Indiens... des bandits... Tiens, tu n'as pas lu *L'Île au trésor* ? Les héros du livre sont assiégés par des pirates. Ils s'enferment dans un fortin et se battent à coups de pistolet. Suppose que nous soyons assiégées par des pirates ?

Françoise ne veut pas répondre : l'imagination de Ficelle est par trop débordante ! Elle aurait volontiers laissé entendre que la petite île de l'Épuisette s'était transformée en île de la Tortue, le prodigieux repaire des flibustiers des Caraïbes !

Mais elle n'a pas encore tout dit :

— Nous avons également besoin d'une boussole. Quand on fait de la navigation, on en emporte toujours une avec soi.

— Si tu as besoin de savoir où est le nord, dit Françoise, cela me semble assez facile. Le soleil a une légère tendance à se lever à l'est et à se coucher à l'ouest. Par conséquent...

— Je le sais bien ! Mais suppose que nous établissions cette carte pendant la nuit. Où sera-t-il, le soleil ? Tu peux me le dire, toi qui es si maligne ?

— Je serais curieuse de savoir ce qui t'obligera à faire de la cartographie en pleine nuit !

— Nuit ou pas, j'ai besoin d'une boussole. J'en ai vu une accrochée à un porte-clefs, au bazar de Goujon. J'y vais tout de suite. Vous venez ?

— Mais alors, cette expédition, c'est pour quelle heure ?

— Bah ! nous avons toute la journée devant nous. Tu viens aussi, Boulotte ?

— Oui. Je prendrai du chocolat aux noisettes à l'épicerie.

Les trois amies se mettent en route, accompagnées par la chienne Pompadour. Asticot préfère demeurer dans la cour de la ferme, à passer une langue rose sur son pelage noir en guignant du coin de l'œil les évolutions d'un papillon bleu.

En cours de chemin, Ficelle se lance dans une conférence sur les navigateurs célèbres, mélangeant à plaisir les exploits du capitaine

Cook et les voyages de Jacques Cartier. Mais personne ne l'écoute. Pompadour plonge son museau dans l'herbe, Françoise cueille au passage des pâquerettes, et Boulotte se demande avec anxiété si elle va trouver au village du pain d'épice Rocroy, « le pain d'épice des rois ».

Lorsqu'elles arrivent sur la Grand-Place de Goujon, un groupe de nuages gris apparaît à l'horizon, en même temps que se lève un petit vent frais.

— J'ai l'impression, dit Françoise, que nous aurons de l'orage dans un moment.

— Pas du tout, dit Ficelle, je suis certaine qu'il va continuer de faire beau.

Boulotte entre dans une épicerie pour acheter un stock de pains d'épice Rocroy, et Françoise fait l'emplette du journal local, *Le Réveil matinal.*

— C'est l'horoscope que tu veux voir ? demande Ficelle.

— Oh ! non. Je ne m'intéresse qu'aux choses sérieuses. Je voulais savoir si le Furet et sa bande ont été repris. Ils se sont évadés avant-hier.

— Encore ! C'est au moins la troisième fois ! Fantômette va pouvoir se remettre à leur poursuite. Chaque fois qu'elle les fait arrêter, ils trouvent moyen de s'échapper. Crois-tu qu'elle va encore les capturer ?

— Je ne sais pas. C'est possible. À moins qu'elle ne soit en vacances...

— Ah ? tu penses que Fantômette prend des vacances ?

— Pourquoi pas ? Je suppose qu'elle y a droit de temps en temps. Tiens, tiens... voilà qui est intéressant. Écoute cela :

Série noire pour les bijoutiers. Encore une fois, les malfaiteurs qui s'intéressent de trop près aux montres ou aux pendentifs se sont attaqués à un magasin de notre région. Il s'agit du Rayon-d'or, dont le propriétaire est M. Saphir, horloger à Mouchons-les-Chandelles. Il a été pris pour cible par deux individus qui se sont présentés sous prétexte d'acheter un réveille-matin. Pendant que M. Saphir tournait le dos, l'un des deux hommes a ouvert la glace intérieure de la vitrine et a commencé à remplir tranquillement ses poches avec des boucles d'oreilles, des bagues et des montres. Comme l'horloger s'étonnait de cette étrange conduite, l'autre malfaiteur lui a mis sous le nez un gros pistolet.

Avant que l'honnête commerçant ait songé à reprendre ses esprits, les deux hommes ont sauté dans une voiture qu'ils avaient laissée devant la boutique, moteur au ralenti, et se sont enfuis en direction de Château-Lapompe.

C'est la cinquième agression de ce genre qui se produit ce mois-ci. L'enquête a été confiée au commissaire Moustache, dont le flair et la compétence ont fait merveille dans l'affaire du vol de l'obélisque de la Concorde. Nul doute qu'il parvienne à mettre rapidement la main au collet des amateurs de bijoux.

— C'est merveilleux ! s'écrie la grande Ficelle, avec un peu de chance, nous pourrons peut-être assister à une de ces attaques de bijouteries ! Est-ce qu'il y a en une ici ?

— Il m'a semblé qu'une horlogerie se trouve près de la mairie.

— Ah ! si elle pouvait être cambriolée ! C'est ça qui serait amusant !

— Oui. Surtout pour l'horloger !... Tiens, occupons-nous plutôt de ta fameuse boussole. Où est-elle ?

— Dans le petit bazar, près de la poste. Tu vas voir, elle est épatante ! Il y a une aiguille qui indique le nord.

— Espérons-le !

Les trois filles se rendent au bazar pour y acheter la fameuse boussole. Ficelle hésite longuement entre deux porte-clefs, l'un rouge, l'autre jaune, qui s'ornent en leur centre d'un minuscule boîtier dans lequel frétille une petite aiguille. Après avoir pris l'avis de Françoise, celui de Boulotte et enfin celui de la marchande qui conseillent toutes les trois la boussole rouge, Ficelle achète la jaune. Une fois dans la rue, elle tournoie sur elle-même pour s'assurer que l'aiguille indique toujours la même direction.

Le petit groupe retourne à la ferme. Comme Françoise relit l'article qui concerne l'attaque de la bijouterie, Ficelle demande :

— Ça t'intéresse, cette affaire ?

— Oui. Je dois avouer que les histoires de gendarmes et de voleurs me passionnent.

— Allons donc ! Laisse Fantômette courir après les voleurs ! C'est elle que ça regarde et pas toi. Occupons-nous plutôt de notre grande expédition. Tiens ! il me vient encore une idée merveilleuse. Nous allons mettre une voile à notre bateau, et nous hisserons un pavillon noir avec une tête de mort et une paire de tibias. Ce sera bien, hein ? Nous aurons l'air de vrais pirates !

Comme Ficelle achève ces mots, de grosses gouttes de pluie se mettent à tomber. La grande fille se tourne vers Françoise et s'écrie :

— Ah ! qui avait raison ? Je l'avais bien dit, qu'il allait pleuvoir !

Elles courent vers les bâtiments de la ferme pour s'y mettre à l'abri. En attendant la fin de l'averse, on sollicite l'aide de Marie pour confectionner la voile. La cuisinière fournit une bonne quantité de chiffons de toutes couleurs, et les trois amies se mettent à l'ouvrage avec le plaisir immense que ressentent toutes les filles du monde lorsqu'elles tripotent des bouts de tissu.

La *Terreur des océans* vogue vers l'Île-au-trésor-de-la-Sorcière.

La voile claque au vent. Ou plus exactement, elle claquerait s'il y en avait. Mais après la pluie qui vient de cesser, il n'y a pas le moindre souffle d'air. Cette voile est composée d'une multitude de chiffons multicolores, qui lui donnent l'aspect d'un costume d'Arlequin. Accroché au manche de râteau qui sert de mât, le terrible pavillon noir offre une fort belle collection d'os, dont on ne saurait dire s'ils sont des tibias, des fémurs ou des péronés.

On a embarqué des provisions, sous le contrôle de Boulotte. Il y a là une impressionnante quantité de boîtes de conserve, de bouteilles de limonade et de pains d'épice Rocroy (celui des rois). En plus du matériel de camping, Ficelle a tenu absolument à emporter une hache, une scie et un marteau, outils dont elle serait d'ailleurs incapable de se servir. Comme Françoise lui demandait à quel usage elle destinait ce matériel, la grande fille a répondu :

— Suppose que nous fassions naufrage et que nous soyons isolées sur cette île. Ce sont des choses qui arrivent tous les jours... Nous serions obligées de vivre comme Robinson Crusoé. Alors, il faudrait construire une habitation, des tables, des chaises, des lits... C'est pour cela que j'emporte cet outillage. Quand on se lance dans une grande expédition, il faut prendre ses précautions.

L'embarquement s'est déroulé avec un plein succès, si l'on excepte le pied gauche de Ficelle qui plongea fâcheusement dans l'Épuisette.

Et maintenant...

Maintenant, le bateau pirate vogue fièrement vers l'île. Pour suppléer à l'absence du vent, Ficelle s'est mise aux avirons.

Ramer est un exercice qui n'est pas à la portée de tout le monde. Il faut un long entraînement pour agir efficacement et élégamment, pour propulser l'esquif en donnant l'impression que l'on ne fait aucun effort. Or, c'est la première fois que Ficelle se trouve changée en galérien moderne. Elle manie les rames comme si c'étaient de vulgaires manches de balai, et le résultat se traduit par un copieux arrosage du navire. Les plouf ! succèdent aux floc ! projetant sur les trois navigatrices de malencontreuses gerbes d'eau.

— Arrête, arrête ! crie Boulotte, tu ne vois pas que tu es en train de nous doucher ! Mon chocolat est tout mouillé, et le pain d'épice va ressembler à une éponge !

— Il faut reconnaître, dit Françoise, qu'entre les mains de notre bien-aimé capitaine, les rames ont l'allure de pelles à tarte !

— Quoi ? rugit Ficelle, vous n'êtes pas contentes ? Puisque c'est comme ça, je fais grève, na !

Françoise et Boulotte prennent chacune une rame et s'en servent comme d'une pagaie. Ce nouveau mode de propulsion se révèle plus efficace que le pataugeage de Ficelle.

Vers midi, les trois courageuses navigatrices parviennent en vue de l'île, qu'elles saluent d'un triple « Youpi ! »

Le débarquement semble être une opération rendue difficile, sinon impossible, par la
barrière de roseaux. Ficelle propose d'ouvrir
un passage en coupant les cannes à grands
coups de couteau, mais Françoise découvre
rapidement un endroit où il est possible
d'engager la barque et de la faire progresser
vers le talus de l'île en se contentant d'écarter
quelques tiges.

Ficelle met pied à terre avec un soupir de
satisfaction.

— On nous a dit qu'il y avait des tourbillons
dans l'eau et que les roseaux étaient infran-
chissables : c'était sans doute une légende !

Boulotte veut tout de suite déjeuner, mais Ficelle s'y oppose.

— Laissons notre navire amarré ici, et explorons d'abord l'île. Quand nous aurons trouvé un bon endroit pour installer notre campement, nous y apporterons notre matériel et nous mangerons. Ne gardons que nos armes, pour le cas où nous serions attaquées par des sauvages.

Les armes consistent en trois bâtons pointus ornés de rubans : un bleu, un vert, un rouge. Ficelle brandit le bâton à ruban rouge, le fait tournoyer au-dessus de sa tête et s'écrie :

— En avant !

Elle s'enfonce vers l'intérieur de l'île, entre les taillis et les troncs de peupliers. Françoise la suit en lançant son bâton à quelque distance pour que Pompadour – qui est de l'expédition – s'amuse à le lui rapporter. Boulotte reste un instant en arrière pour prendre le temps d'entamer une tablette de chocolat, puis elle rejoint ses amies.

Quoique la présence de sauvages soit des plus incertaines, la grande Ficelle n'avance qu'avec de grandes précautions, marchant à demi courbée, lentement, jetant à droite et à gauche des regards soupçonneux. Elle s'attend à voir jaillir subitement une horde de Papous armés d'arcs et de sagaies. Mais, hélas ! les habitants de l'île se composent uniquement d'oiseaux et d'insectes, piètres adversaires.

L'exploration se poursuit sans le moindre incident, jusqu'au moment où Ficelle aperçoit une cabane. Cette vision jette un grand émoi dans l'âme de l'intrépide fille corsaire. Posant un doigt sur ses lèvres, elle se dissimule derrière un tronc d'arbre et dit à voix basse :

— Attention ! Cette cabane est sûrement l'antre de la sorcière. Méfions-nous ! Elle est peut-être à l'intérieur en ce moment... Attendez, je vais établir un plan d'attaque !

Elle se concentre pendant quelques secondes, puis annonce :

— Ça y est ! J'ai trouvé ce qu'il faut faire. Vous deux, vous allez rester en arrière avec le chien, pour surveiller les alentours. Et moi, je vais encercler la cabane !

Françoise éclate de rire :

— Tu vas encercler la cabane à toi toute seule !

— Mais oui. Je vais tourner autour en cercle...

— Ah ! bon. Si c'est cela que tu appelles encercler... Moi, je trouve beaucoup plus simple d'entrer dans la cabane, si tu veux savoir ce qu'elle contient.

— Mais... la sorcière...

La brunette hausse les épaules.

— Il n'y a de sorcière que dans ton imagination. Viens !

— Oh ! non. J'ai bien trop peur !

— Ah ! tu me fais une jolie flibustière ! Je ne te vois pas en train de combattre des pirates.

— Des pirates, si. Mais pas des sorcières.

Françoise se dirige tranquillement vers la cabane, pousse la porte et entre.

Elle ressort une seconde après et fait signe à ses amies de la suivre. Ficelle hésite, puis comme elle constate que Pompadour a rejoint Françoise, elle pénètre à son tour, avec circonspection, dans le terrible repaire. Françoise sourit.

— Tu vois bien, Ficelle, qu'il n'y a pas plus de sorcière que d'enchanteur ou de dragon. Cette cabane contient un banc, quelques vieilles bouteilles et... et c'est tout.

Boulotte pénètre à son tour dans la cabane, constate avec satisfaction que l'endroit est idéal pour y déjeuner. En conséquence, elle propose de retourner à la barque pour y prendre les provisions, et un petit matériel de camping. Tout cela est apporté dans la cabane, baptisée fortin par Ficelle. Boulotte s'active aussitôt dans la préparation du déjeuner. Elle a l'intention de faire frire des œufs au jambon sur un réchaud à alcool solidifié, mais Ficelle s'y oppose.

— Nous sommes naufragées sur cette île déserte, et nous devons faire un feu de bois.

—Je te ferai remarquer, objecte Françoise, que puisque nous sommes sur cette île, elle n'est plus déserte.

— Tu crois ? Mais Robinson Crusoé, il était bien sur une île déserte ?

— Elle l'était avant qu'il ne s'y installe.

— Tu as peut-être raison. Qu'est-ce que je disais ?

— Il était question de faire du feu.

— Ah ! oui. Je vais m'en occuper. Il faut d'abord rassembler des branches sèches.

La grande fille se met à la recherche des branches en question, bien persuadée qu'elle va en réunir rapidement une grande quantité, comme le font toujours les naufragés sur les îles désertes. Elle n'a oublié qu'un détail : la pluie tombée pendant la matinée a détrempé toute la végétation, et les bouts de bois qu'elle réussit à trouver sur le sol paraissent sortir d'une machine à laver. Consternée, elle revient, tête basse, à la cabane.

— Heu... je n'ai trouvé que ça, et c'est tout mouillé.

Boulotte hoche la tête :

— Je savais bien que j'avais raison d'emporter des tablettes d'alcool solidifié. Les histoires de feux de bois, ça ne marche jamais. Tiens, l'année dernière, j'ai fait du camping avec des amies. On a essayé de faire cuire des pommes de terre dans la cendre. En principe, c'est très bon, les pommes de terre cuites de cette façon. Eh bien, il n'y a jamais eu moyen d'y parvenir. Tantôt elles étaient crues, tantôt brûlées. Alors, les feux de camp, pour moi, c'est de la blague !

Tout en faisant cette déclaration, la gourmande a cassé trois œufs dans un plat en aluminium et a ajouté trois tranches de jambon. Le tout est mis à cuire sur le réchaud. Bientôt, une bonne odeur d'œufs au bacon s'élève dans l'air humide chargé de senteurs forestières. Les trois naufragées se sentent prises d'un appétit féroce, et lorsque Boulotte s'écrie : « À table », ce qui est une annonce toute théorique, trois fourchettes agressives plongent en piqué sur les tranches de jambon. Allongée au pied d'un peuplier, la chienne Pompadour s'intéresse de très près à un gros os que la cuisinière Marie a confié à Boulotte.

Le soleil a jugé bon de reparaître, pour prouver que l'orage n'était qu'un accident passager. Adossée à la cabane, la grande Ficelle constate :

— C'est une bonne chose d'avoir débarqué sur cette île. Voyez comme nous sommes bien, ici. Le coin est agréable.

L'endroit, en effet, ne manque pas de charme. La cabane se trouve en bordure d'une petite clairière au centre de laquelle s'élève un grand peuplier isolé.

Le déjeuner se termine par l'absorption d'un pot de confitures dont Boulotte vante hautement les qualités nutritives. Puis Ficelle se lève, se munit d'un crayon et d'un carnet. Elle déclare :

— Passons maintenant aux choses sérieuses. Nous allons établir un plan de l'île qui nous sera très utile pour y circuler. Vous allez m'aider.

— Oui, oui ! Compte sur nous ! dit Françoise en s'allongeant sur le banc de la cabane.

— Comment, tu ne veux pas participer à mes grands travaux cartographitiques ?

— Si, mais je participe de loin, moralement. Ma pensée t'accompagne.

Et elle ferme les yeux. Ficelle trépigne :

— C'est encore moi qui vais faire tout le travail. Ah ! on ne peut pas compter sur vous !

Tandis que Françoise fait la sieste, que Boulotte astique les assiettes en plastique et que Pompadour fait l'inventaire de sa collection de puces, Ficelle arpente l'île en tous sens, prend des notes, se livre à des calculs compliqués, dessine d'innombrables figures, consulte sa boussole, lève le nez vers le haut des arbres, l'abaisse jusqu'à terre, tourne en rond, va et revient sur ses pas, se lève, se baisse, puis finalement annonce avec un accent de triomphe :

— Ça y est ! je viens d'établir un plan de l'île !

Elle présente à ses amies une feuille couverte de gribouillis incompréhensibles.

— Voilà. Avec ça, nous ne risquons pas de nous perdre !

Françoise jette un coup d'œil sur le papier et fait observer ironiquement :

— Comme on peut parcourir toute la longueur de l'île en deux minutes, je ne vois pas très bien comment on risquerait de s'y perdre...

Ficelle est très vexée.

— Dis tout de suite que ce plan ne sert à rien !

— Je ne dis pas cela. Mais je crois qu'il est incomplet.

— Incomplet ? Il y manque quelque chose ?

— Oui.

— Mais quoi donc ? J'ai tout indiqué ! L'endroit où nous avons débarqué, la cabane, le grand arbre au milieu de la clairière... Que faut-il de plus ?

— L'emplacement de ton fameux trésor.

— Ah ! c'est vrai.

Ficelle regarde son plan de très près, avec l'espoir d'y découvrir une croix marquant le lieu où serait enfoui un coffre plein de ducats, mais elle ne trouve rien. Cependant, elle prend une décision qui calme son esprit :

— Dès que j'aurai trouvé le trésor, je marquerai une croix rouge sur le plan.

— Et pour trouver ce trésor, que vas-tu faire ?

— Je vais le chercher, tiens ! Je vais commencer par creuser le sol autour du fortin. C'est sûrement là qu'il est enterré. Je vais commencer par-derrière.

La grande fille saisit un couteau, se lève et contourne la cabane. Ses amies l'entendent pousser un cri. Elle réapparaît en disant :

— Venez voir ! Vite, vite !

Françoise et Boulotte se précipitent. Ficelle leur montre un objet couché dans l'herbe, contre la paroi de la cabane : une longue échelle de bois.

Boulotte grogne :

— C'est bien la peine d'interrompre notre digestion pour nous montrer une vulgaire échelle ! Tu crois que nous n'en avons jamais vu ? Peuh !

— Mais tu ne te rends pas compte que c'est une découverte ! Puisqu'il y a une échelle, cela prouve que *l'île est habitée* !

— Oui, dit Boulotte, par des peintres ou des laveurs de carreaux.

— Bon, bon ! dit Ficelle, vexée, je ne vous appellerai plus quand je trouverai quelque chose, même si c'est le trésor !

Elle se met à quatre pattes et commence à creuser le sol, aidée par Pompadour qui adore faire des trous. Cependant, Françoise regarde l'échelle d'un air pensif. Elle murmure :

— Boulotte n'a pas tout à fait tort. C'est bien le genre d'échelle qui sert aux peintres. Mais je me demande ce qu'elle fait sur cette île...

Ficelle lève le nez et dit sentencieusement :

— Ah ! vous voyez bien que j'ai fait une découverte ! La présence de cette échelle est un gros mystère. Ou elle appartient à la sorcière, ou alors ce sont des pirates qui l'ont déposée ici. Je me souviens d'un film de flibustiers dans lequel il y avait...

— Chut ! coupe Françoise.

— Quoi ? Q'y a-t-il ?

— Vous avez entendu ce bruit de branche cassée ?

— Je n'ai rien entendu.

— Moi, si. Il me semble qu'il y a quelqu'un du côté de ces fourrés, là-bas... Tenez, regardez la chienne !

Pompadour a cessé de gratter le sol et pointe son museau vers les fourrés, le regard fixe.

Ficelle dit d'une voix altérée :

— Si c'étaient les sauvages ? Ils sont en train de nous guetter ! Oh ! Je voudrais bien être ailleurs...

— C'est peut-être un animal, suggère Boulotte, un cerf ou un sanglier.

— Non, dit Françoise, l'île est trop petite pour qu'on y trouve le moindre gibier. Je vais voir.

— Prends un des bâtons ! conseille Ficelle.

— Inutile. Surtout ce genre de bâton. Autant prendre une allumette.

— Alors, nous allons te suivre de loin, pour que tu n'aies pas peur...

Françoise s'avance jusqu'aux fourrés, précédée par Pompadour qui dresse ses oreilles et progresse irrégulièrement, par à-coups, tombant en arrêt tous les trois pas, grondant sourdement, l'échine vibrante et les crocs découverts. La jeune fille passe entre les fourrés sans rien découvrir de particulier. Elle suit la chienne jusqu'à l'autre côté de l'île. L'animal s'arrête au bord de l'eau, en un point où les roseaux très clairsemés permettent apparemment un accès facile. Françoise songe que ce point est bien meilleur que celui où elles ont débarqué. En portant son regard sur la rivière, elle aperçoit en aval une barque qui descend le courant. Abrités sous de larges chapeaux de paille, deux pêcheurs laissent aller leur ligne au fil de l'eau. Françoise fait demi-tour.

 74

— Alors ? demande Ficelle avec anxiété, c'était un sanglier, ou des sauvages ?

— Ce n'était rien. Rien du tout. Pompadour et moi avons dû rêver.

— Ah ! Bon, j'aime mieux ça. Remarque bien que je n'ai pas peur des sauvages, mais je préfère ne pas avoir affaire à eux. Maintenant, je vais pouvoir continuer ma chasse au trésor.

Elle creuse avec enthousiasme pendant dix minutes, puis, n'ayant trouvé aucun coffre, elle décide qu'elle en a assez. La pluie menaçant de tomber à nouveau, elle propose de retourner à la ferme, pour y jouer aux cartes.

— J'ai subitement envie de jouer au yoga. C'est un jeu hindou. Je vous expliquerai.

— Que faisons-nous de notre petit matériel ? demande Boulotte. Nous remportons les conserves qui restent ?

— Oui, mais nous pouvons laisser ici le réchaud et les assiettes. Comme ça, si la sorcière veut faire un peu de cuisine, elle aura ce qu'il faut. Peut-être fera-t-elle cuire des queues de lézards, des oreilles de chauves-souris et de la poudre d'escampette. Ha, ha !

Cette fine plaisanterie amuse beaucoup la grande fille, mais horrifie Boulotte, qui ne peut imaginer que l'on puisse confectionner une telle cuisine.

Le retour se fait sans incident, et au milieu de l'après-midi, les trois courageuses navigatrices-naufragées-flibustières sont de retour à la ferme.

Une surprise les y attend.

chapitre 8

Fantômette enquête

— Je me doutais bien que vous reviendriez pour l'heure du goûter ! dit Marie, et regardez ce que je vous ai préparé...

Boulotte pousse un cri de joie, Françoise émet un petit sifflement et Ficelle ouvre des yeux ronds. Sur une table de jardin, la cuisinière a posé un plat qui contient une gigantesque tarte aux fruits. Une tarte pour Gargantua, faite d'une pâte dorée d'apparence croustillante, dont les fruits diversement colorés sont répartis selon des motifs géométriques, et décorés avec des filets de sucre glace. Boulotte joint les mains et s'écrie :

— On dirait une tarte de conte de fées ! Elle est presque trop belle pour être vraie !

— Oui, approuve Ficelle, je n'oserai jamais y toucher. On devrait la mettre sous une vitrine et l'exposer au musée de la Gourmandise.

— Mais vous n'allez pas la contempler jusqu'à la Saint-Glinglin ! dit Marie, une tarte est faite pour être mangée. Tenez, voilà des petites cuillers.

La tarte est dégustée et Marie félicitée. Puis on débarrasse la table pour faire la partie de yoga.

— Vous allez voir, dit Ficelle, c'est un jeu très simple. On distribue à chacune neuf cartes, plus les deux tiers de ce qui reste s'il y a un nombre impair de cartes rouges, et les trois cinquièmes si c'est un nombre impair de cartes noires. Ensuite on met trois rois de côté si la première qui joue a deux atouts en main, dont une carte noire. Mais si elle en a trois, dont une rouge, celle qui joue après doit poser un atout... heu... non, deux... attendez... je ne me souviens plus... celle qui joue en troisième, si elle a trois rois... heu... non, je me suis trompée... Attendez ! je recommence...

— Ça m'a l'air passablement compliqué ! dit Françoise.

— Non, vous allez voir, c'est très simple.

La grande Ficelle recommence trois fois ses explications, mais comme elle s'embrouille de plus en plus chaque fois, on finit par abandonner le yoga pour faire une bataille, jeu qui ne risque pas de donner la migraine.

Au bout d'une demi-heure, les trois amies laissent les cartes pour chercher un autre genre de distraction. Boulotte s'en va rôder du côté de la cuisine, Ficelle se met à la recherche de ses aiguilles à tricoter ; Françoise dit : « Je vais faire un tour », et sort de la ferme.

Quant à Pompadour, elle fait avec Asticot une partie de chat perché.

L'autocar roule vers Mouchons-les-Chandelles, le chef-lieu de canton. Il est parti de Goujon-sur-Épuisette en fin d'après-midi, et Fantômette compte au nombre des voyageurs.

Confortablement assise dans un moelleux fauteuil, elle relit pour la dixième fois l'article du *Réveil matinal* relatant l'exploit des voleurs de bijoux. Elle replie le journal, renverse la tête en arrière et réfléchit.

« Premièrement, ces attaques ont toutes lieu dans la région. Deuxièmement, elles ne concernent que des bijouteries ou des horlogeries. On peut donc affirmer avec certitude qu'il s'agit d'une seule bande. Bien. Mais je n'en sais pas plus pour le moment. J'espère en apprendre davantage aux bureaux du journal. D'ici là, ma foi, je ne vais penser à rien. Après tout, je suis en vacances... »

Elle ferme les yeux et se laisse bercer par le balancement du lourd véhicule.

Une demi-heure plus tard, l'autocar s'arrête à Mouchons-les-Chandelles. Fantômette descend et n'a qu'une centaine de mètres à parcourir pour se trouver sur la place Bégonia, devant l'immeuble où sont installés les bureaux du journal. Des lettres dorées sur une plaque de marbre noir indiquent que ces bureaux se trouvent au troisième étage. Dédaignant l'ascenseur, Fantômette monte rapidement l'escalier. Au troisième étage, nouvelle plaque de marbre noir. La jeune fille entre dans un vestibule carré orné d'un bureau en acajou. Une réceptionniste aux cheveux de la même couleur est fort occupée à lire les aventures d'Ali Baba dans un hebdomadaire. Elle interrompt cet important exercice pour renseigner Fantômette qui lui demande où elle peut consulter la collection du *Réveil matinal*.

— Dans la petite pièce, juste derrière vous.

Fantômette remercie la réceptionniste qui se replonge dans *Les Mille et Une Nuits,* et entre dans la petite pièce où elle trouve, alignés sur une large table, un nombre impressionnant de volumineux albums. Chacun d'eux représente la publication d'une année. Elle s'empare du dernier, l'ouvre et commence à feuilleter les numéros parus pendant le mois.

Au bout de quelques minutes, elle se met à siffloter doucement une petite ritournelle, puis elle sort d'une poche de sa robe un carnet à couverture rouge et prend des notes. Pendant près d'une demi-heure, elle lit tous les articles qui concernent les attaques de bijouteries. Puis elle s'approche d'une grande carte de la région qui est affichée au mur. Elle pointe avec son crayon les divers endroits qui ont reçu la visite des malfaiteurs. Tous se trouvent dans un rayon d'une trentaine de kilomètres.

Elle referme son carnet, sort de la petite pièce et quitte l'immeuble. Un léger sourire de satisfaction se dessine sur son visage. Elle pense :

« Si mes déductions sont bonnes, si je ne me trompe pas, et si ces braves voleurs sont aussi nouilles que je le crois, ils vont se faire prendre demain matin, à dix heures. »

Elle consulte son carnet.

« Oui, toutes les attaques ont lieu le vendredi, à la même heure. Il faut croire que ces messieurs manquent d'imagination. Ou alors, ils ont des habitudes bien établies. Nous verrons cela demain. Pour l'instant, il s'agit de ne pas rater l'autocar qui... Diable ! mais il va partir sans moi, le vilain ! »

Fantômette se lance dans un sprint qui aurait fait honneur à une championne olympique, et saute dans l'autocar à l'instant où il va pour démarrer.

Après trois quarts d'heure de voyage, Fantômette met pied à terre, sur la Grand-Place de Goujon.

Elle regarde sa montre.

« Huit heures. C'est parfait ; allons dîner. »

Alors qu'elle passe dans la Grand-Rue, devant l'horlogerie qui a pour propriétaire M. Topaze, elle s'arrête, considère la vitrine pendant un moment, puis les alentours. Elle examine avec attention un réverbère planté sur le trottoir, murmure : « Bien, bien... », enroule autour de son index une boucle de ses cheveux noirs, et finalement s'éloigne en fredonnant un refrain à la mode.

Quelques instants plus tard, la nuit tombe sans faire aucun bruit.

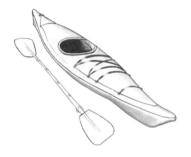

chapitre 9

Hold-up

— Avez-vous lu *Robinson Crusoé* ? demande Ficelle.

— Bien sûr, dit Françoise. Tu nous en as déjà parlé.

— Moi, dit Boulotte, je sais que c'était un bonhomme qui vivait tout seul sur une île.

— C'est bien cela, reprend Ficelle, et je vais vous expliquer une chose importante à son sujet. Pendant les premiers temps qui ont suivi son naufrage, il a vécu avec les provisions qu'il avait récupérées sur l'épave de son bateau. Mais après, il n'a plus rien eu à manger.

— Le pauvre homme ! s'apitoie Boulotte. Alors, qu'a-t-il fait ?

— Il a semé des graines ; il a planté des choux, des carottes et des artichauts pour pouvoir faire des récoltes. Et il a fabriqué un enclos pour élever des poules et des cochons. Comme ça, il a eu tout ce qu'il fallait pour se préparer des œufs au jambon ou des saucisses de Francfort.

— C'est merveilleux ! dit Boulotte. J'aurais bien voulu être à sa place.

— Justement, tu vas t'y trouver. Voici ce que j'ai imaginé. Puisque nous allons passer un certain temps sur l'île de la Sorcière, je propose que nous y semions des graines, de manière à faire nous aussi des récoltes.

— Tu crois, demande Françoise, qu'en quelques jours ça aura le temps de pousser ?

— Bien sûr. Nous allons semer des espèces hâtives. Et comme il y a beaucoup d'humidité dans le sol, elles pousseront très vite. Nous emporterons aussi une poule pour qu'elle ponde des œufs et qu'elle élève une petite famille de poussins. Comme cela, l'île sera peuplée.

Ce programme enthousiasme Boulotte et fait sourire Françoise. Les trois filles quittent la table sur laquelle elles viennent de prendre le petit déjeuner. Boulotte se met à la recherche de l'oncle Arthur pour lui emprunter quelques graines ; Ficelle s'élance à la poursuite d'une poule avec la ferme intention de l'attraper, et Françoise, qui ne semble guère s'intéresser aux questions d'agriculture ou d'élevage, manifeste son intention d'aller en ville pour y acheter un journal. Elle va dénicher au fond d'un hangar une vieille bicyclette dont elle regonfle les pneus, puis elle fouine pendant un moment parmi la vieille ferraille qui encombre une remise. Après avoir trouvé ce qu'elle cherchait, elle enfourche la bicyclette et pédale allégrement vers Goujon-sur-Épuisette.

Il est dix heures moins le quart.

— Qu'est-ce que je fais ? demande le facteur Pomme. Je la tire ou je la pointe ?

— Il nous reste encore une autre boule, dit M. Botte (le marchand d'articles de pêche), alors je pense que vous pouvez la tirer.

— Bon, j'y vais.

Le facteur recule de trois ou quatre pas, ferme un œil, louche effroyablement de l'autre pour mieux viser la boule adverse qu'il se propose d'atteindre, lance son corps en avant en balançant le bras d'un geste précis. Bing ! la sphère d'acier percute son but, ce qui provoque un concert d'exclamations de rage dans le camp adverse, composé de MM. Plume et Goutte.

À l'ombre des platanes de la Grand-Place, les quatre Goujoniens se livrent à leur sport favori depuis le début de la matinée. Campé droit sur ses jambes, tirant par petites bouffées sur un long cigare, M. le maire arbitre la partie et juge les coups en fin connaisseur. Quelques gamins – sans doute des futurs champions de la pétanque – forment le reste de l'assistance et s'amusent à deviner si telle boule va être trop courte ou trop longue.

Alors que dix heures sont sur le point de sonner au clocher de Saint-Cyriaque, une jeune fille venue à bicyclette dépose sa machine contre un des platanes, ôte du guidon un rouleau de câble d'acier qui y est accroché, et se dirige d'un pas tranquille vers l'horlogerie Topaze, en bordure de la place.

Les joueurs de boules n'ont pas remarqué son arrivée. Le pharmacien Goutte est très absorbé par un pointage difficile, et tous les spectateurs observent le coup avec attention. Fantômette – car c'est elle – s'assied tout bonnement sur le bord du trottoir, près d'un réverbère, et pose à côté d'elle son câble d'acier.

 88

L'horloge de la mairie marque les dix heures, en même temps que la cloche de l'église commence à frapper ses dix coups.

C'est alors qu'une grosse voiture américaine, démodée mais puissante, s'approche silencieusement du trottoir et s'arrête devant Fantômette en manquant de lui écraser les pieds. Les portières s'ouvrent et deux hommes sortent à toute allure, puis s'engouffrent dans l'horlogerie. Le moteur de l'auto continue de tourner au ralenti.

La jeune aventurière sourit, se lève, déroule son câble dont elle attache un bout au pare-chocs arrière de la voiture. Elle enroule l'autre extrémité autour du réverbère, fait prestement un nœud d'amarrage. Et s'assied de nouveau sur la bordure du trottoir pour attendre la suite des événements.

L'instant d'après, les deux hommes sortent en courant de la boutique. L'un d'eux tient à la main un sac de toile noire qu'il vient sans doute de remplir avec des bijoux. L'autre prend place au volant, lance le moteur à fond et embraie. Fantômette jubile.

« Attendez-vous à une surprise, messieurs ! Vous n'irez pas bien loin. À moins que vous n'espériez emporter ce réverbère... »

Mais c'est Fantômette qui est sur le point d'avoir l'une des plus grandes surprises de sa vie. L'automobile démarre, en effet, et bondit en avant dans un rugissement d'échappement libre. Le câble d'acier se tend avec un bruit sec, suivi d'un tintamarre de ferraille. Alors que la jeune fille espère, grâce à son stratagème, stopper net le véhicule, elle le voit s'éloigner à toute allure, abandonnant derrière lui le pare-chocs qui est resté accroché au câble !

« Tonnerre ! rugit-elle, le pare-chocs s'est arraché ! Ah ! que je suis bête de n'avoir pas prévu ça ! Et maintenant, ces bandits s'échappent ! »

L'horloger apparaît sur le seuil de sa porte, hurlant :

— Au voleur ! Au voleur ! Arrêtez-les ! Ils viennent de me dévaliser ! Au nom du Ciel, faites quelque chose !

En entendant ces clameurs, les paisibles joueurs de boules interrompent une partie qui promettait pourtant d'être passionnante (l'équipe Pomme-Botte était sur le point de rattraper son retard), et s'approchent pour s'enquérir de la cause qui provoque un tel débordement de cris.

M. Topaze se tord les mains :

 90

— Ils m'ont pris tous mes chronomètres ! Et mes montres suisses automatiques ! Et deux plateaux d'alliances ! Et six pendules électriques ! Et tout un assortiment de couverts en argent ! C'est épouvantable ! Ils m'ont presque ruiné ! Rattrapez-les !

— Qui ? Mais qui donc ? demande-t-on.

— Les voleurs !

— Quels voleurs ?

— Ils étaient deux, dans une grosse voiture américaine... Sûrement des gangsters de Chicago !

M. le maire s'approche, essaie de calmer l'émoi de l'horloger et lui fait conter par le détail sa triste aventure.

— Bien. Je note que vous avez été victime d'une agression. Je crois pouvoir rattacher cela à la série de vols dont les bijoutiers de la région ont été les victimes. Mais ce qui importe avant tout, c'est de prévenir la police. Je vais m'en occuper immédiatement.

Le maire se tourne vers les boulistes et déclare :

— Messieurs, la partie de boules est interrompue momentanément. Nous la reprendrons demain soir. Je vous rappelle que l'équipe Plume-Goutte mène devant l'équipe Pomme-Botte par six points à cinq.

Pendant que M. le maire interrogeait l'horloger, Fantômette a détaché le câble qui reliait le pare-chocs au réverbère. Lorsque les boulistes songent à lui demander ce qu'elle trafique, ils se rendent compte qu'elle s'éloigne déjà à toute allure, juchée sur son vélo.

— Curieux ! dit M. Botte.

— Étrange ! fit M. Goutte.

— Bizarre ! observe M. Pomme.

Mais leurs constatations ne vont pas plus loin, et ils oublient vite l'intervention de la jeune fille, pour entrer dans la boutique de l'horloger qui leur montre les emplacements occupés par les précieux objets qui viennent de lui être dérobés.

Les agents de police font leur apparition. Ils sortent leurs carnets, prennent des notes, interrogent, et concluent que cette nouvelle agression se rattache à la série d'attaques dont les bijoutiers de la région ont été victimes. Ce que tout le monde savait déjà.

Ils se retirent pour faire leur rapport aux autorités supérieures, tandis que M. Topaze se lamente en s'arrachant les cheveux. Il faut reconnaître que c'est à peu près tout ce qu'il peut faire en cette triste circonstance.

chapitre 10

Expulsion

Pendant que ces divers événements se déroulent en la bonne ville de Goujon-sur-Épuisette, d'autres aventures surviennent non loin de là, dans la ferme de l'oncle Arthur.

La grande Ficelle a préparé trois sachets de papier marron, dont l'un contient des grains de blé, l'autre de l'avoine et le troisième des pois chiches. Elle se propose de mettre en terre ces précieuses semences, dès qu'elle aura touché l'île. Boulotte l'a aidée à capturer la poule, qui a été enfermée dans une grande boîte de carton. L'oncle a souri en assistant à la capture du gallinacé, et a bien recommandé de le rapporter à la ferme,

93

une fois que la crise de *robinsonnisme* serait passée.

Quand midi approche, les préparatifs de la nouvelle expédition prennent fin. Les graines et la précieuse poule sont embarquées sur la *Terreur des océans,* ainsi qu'une imposante provision de pain d'épice Rocroy (celui, etc.), de conserves et de bouteilles de soda, mise en place par la prévoyante Boulotte.

Les intrépides navigatrices montent à bord, accompagnées par le chat Asticot. Ficelle a en effet décidé que le félin devait remplacer la chienne, chaque animal ayant droit à son tour de visite dans l'île.

La navigation se fait sans incident, le temps s'étant mis au beau fixe. Chacune des trois filles prend les rames selon un ordre convenu. Par chance, le vent souffle vers l'amont et gonfle la voile en aidant à la propulsion du navire pirate (dont le pavillon noir flotte toujours).

Le capitaine Ficelle dirige les opérations de débarquement. La poule saute à terre avant tout le monde et disparaît dans l'épaisseur des fourrés. Comme Boulotte paraît inquiète de cette fugue soudaine, Ficelle la rassure :

— Nous sommes sur une île, c'est-à-dire une étendue de terre entourée d'eau. Comme les poules ne savent pas nager, puisque personne ne leur apprend, elle ne pourra pas s'enfuir. Par conséquent, nous la retrouverons.

Boulotte est éblouie par la logique du raisonnement. Elle fait toutefois remarquer que la capture du volatile risque d'être hasardeuse. Mais Ficelle tranche la question :

— Quand nous voudrons la récupérer, nous lancerons Asticot à sa poursuite.

Les trois amies mettent pied à terre, puis le chat consent, après bien des hésitations, à poser une patte sur le sol. Il flaire les herbes, regarde à droite et à gauche en battant l'air de sa queue, et se glisse entre les troncs des peupliers jusqu'à une grosse touffe de mousse sur laquelle il se roule en boule pour dormir.

Ficelle prend d'un pied ferme la direction du fort. Elle tient sur son épaule droite la houe qui doit lui servir à creuser des sillons. Boulotte s'est munie d'un grand arrosoir en plastique jaune. Françoise se contente d'une légère badine qu'elle fait tournoyer en fredonnant : « Moi, j'aime les pom-pom-pom... »

Bientôt, la cabane est en vue. Ficelle se tourne vers ses amies en disant à mi-voix :

— Méfions-nous, il y a peut-être des Indiens !

Mais comme ses amies ne croient toujours pas à la présence d'une armée emplumée, elles continuent à marcher comme si de rien n'était.

Le petit matériel est déposé dans la cabane, et la grande Ficelle s'occupe active-ment à déterminer l'aire qui doit servir aux nouvelles plantations. Elle déplie un mètre en bois, prend des mesures, fait quelques calculs rapides sur une feuille de bloc-notes et annonce :

— Nous allons semer du blé sur 8,93 mètres carrés, de l'avoine sur les deux tiers de cette surface et des pois chiches sur les trois cinquièmes du restant. C'est l'énoncé d'un vieux problème que notre institutrice nous a fait faire l'année dernière. Boulotte, veux-tu me passer les sacs ?

La gourmande est sur le point de saisir les sachets de papier, lorsqu'une voix d'homme s'élève :

— Que faites-vous ici ?

Les trois filles lèvent la tête. Un individu vient de surgir dans la clairière. Un homme grand, brun, dont le visage est barré d'une grosse moustache noire. Il porte un uniforme bleu marine à boutons dorés. Sur la tête, une casquette plate. Il fronce d'épais sourcils avec un air extrêmement sévère.

Il s'avance à grands pas, se plante devant les Robinsonnes, croise les bras et répète :

— Que faites-vous ici ?

Un instant de silence. Surprises, les trois amies restent immobiles, silencieuses. Finalement, c'est Françoise qui prend la parole :

— Nous nous amusons, monsieur.

— Oui, dit Ficelle qui reprend un peu de courage, nous jouons aux naufragées.

L'homme tire sur sa moustache, renifle et grogne :

— Ha, ha ! vous jouez aux naufragées. Vous avez sans doute une autorisation spéciale pour le faire ?

— Heu…, balbutie Ficelle, heu… non.

— Eh bien, vous allez me faire le plaisir de déguerpir, et en vitesse ! Cette île est une propriété privée, et vous n'avez pas le droit d'y venir.

— Ah ? Mais nous ne faisons rien de mal…

— Cela ne me regarde pas. Je suis le garde-pêche de l'Épuisette, et mon rôle est de faire respecter les règlements. Vous allez ramasser toutes vos petites affaires, les emporter au diable et veiller à ne plus remettre les pieds ici. Et que cela ne traîne pas, sinon vous aurez affaire à moi !

D'un seul coup, tous les beaux rêves de campement et de vie aventureuse s'évanouissent. Plus de plantations, plus d'élevage... Ficelle tente une faible protestation :

— Mais, monsieur, nous avons apporté une poule... Elle est en liberté sur l'île... Il faut que nous la reprenions avant de partir...

Le garde-pêche rugit :

— Comment, vous avez apporté des animaux ici ? C'est formellement interdit !

— Heu... nous ne le savions pas.

— Ah ? Vous ne le saviez pas ? Eh bien, vous savez, maintenant ! Je me chargerai moi-même de retrouver cette poule, mais n'espérez pas la revoir. Et estimez-vous encore heureuses si je ne vous colle pas une amende ! Allez, disparaissez !

Assez dépitées, les trois naufragées rassemblent leurs petites provisions et se mettent en marche vers le point où elles ont laissé leur barque. Toujours debout, l'homme surveille leur départ sans ajouter un mot. Ficelle se met à gémir :

— Si c'est pas malheureux ! Juste au moment où nous commencions à bien nous amuser... Nous voilà mises à la porte !

Elles réembarquent et se laissent descendre au fil du courant. Pendant tout le trajet, Ficelle ne cesse de grommeler. Elle regrette le fort, la clairière et son peuplier, les futures récoltes de pois chiches. Elle voue aux ténèbres infernales garde-pêche et règlements fluviaux.

— Sans compter que maintenant nous devons complètement renoncer au trésor de la sorcière ! Quelle guigne !...

De retour à la ferme, elles content leur mésaventure à l'oncle Arthur. Il hoche la tête :

— Ah ! je comprends maintenant pourquoi personne ne va jamais sur l'île. Tout simplement parce que c'est interdit.

— Pourtant, dit Ficelle, il y a sûrement des gens qui s'y rendent, puisque nous y avons trouvé des vieilles bouteilles et une échelle.

— Cela doit appartenir au garde-pêche.

— Peut-être... Mais que fait-il donc avec une échelle ?

— Cela, je l'ignore, ma chère nièce. Il doit s'en servir pour grimper aux arbres et dénicher les oiseaux, ha, ha !

Après le déjeuner, Ficelle propose une nouvelle partie de yoga dont elle vient – affirme-t-elle – de se rappeler parfaitement les règles. Mais les deux autres se méfient. Boulotte manifeste son intention de se rendre à Goujon pour renouveler sa provision de chocolat et Françoise décide de l'accompagner. Ficelle renonce aux cartes pour suivre ses amies. En cours de route, elle tente d'imaginer quelques activités susceptibles de remplacer les expéditions sur l'île.

— Puisque la navigation ne nous réussit pas, je propose que nous nous occupions de peinture. J'ai emporté tout ce qu'il faut pour faire des tableaux. Nous allons chercher de jolis paysages et les peindre. Ensuite nous signerons nos toiles d'un nom célèbre, comme Rembrandt ou Michel-Ange, et nous les vendrons très cher !

— Bonne idée, dit Boulotte, mais pourquoi des paysages ? J'aimerais mieux peindre des fruits, par exemple. Un beau compotier plein de pommes ou de poires. Ou un plateau de fromages. Du gruyère, du roquefort. Un joli camembert ruisselant...

L'énumération des fromages n'a pas encore pris fin, lorsque les trois filles arrivent sur la Grand-Place. La gourmande s'interrompt pour courir vers une confiserie. En l'attendant, Françoise et Ficelle s'approchent des joueurs de boules qui disputent une sérieuse partie sous les platanes. L'équipe Plume-Goutte a perdu son avance, et le tandem adverse Pomme-Botte est maintenant en tête. Toutefois, un heureux pointage du libraire Plume met les deux camps à égalité. Les boulistes décident de prendre quelques minutes de repos avant d'engager une nouvelle manche. On se met à bavarder, et le thème des conversations est évidemment l'événement du jour : l'attaque de la bijouterie Topaze.

Un groupe de commères stationne encore devant la boutique, commentant les faits. Intriguée par ce qu'elle entend, Ficelle se renseigne auprès du libraire qui répond aimablement :

— C'est cette boutique que vous voyez d'ici. Elle a été attaquée ce matin. Moi, je n'y étais pas, mais il paraît qu'une douzaine de bandits masqués sont venus s'emparer de toutes les montres et de tous les bijoux. Ah ! quelle triste époque est la nôtre ! Il n'y a plus de moralité...

Le libraire hoche tristement la tête, puis il s'approche de M. Botte qui vient d'allumer une pipe de bruyère, le prend par la manche et dit :

— Il ne faut pas que ces voleurs nous fassent oublier nos petites affaires... Je vous rappelle que vous m'avez promis des mouches pour demain. Vous ne m'oubliez pas ?

— Non, non, vous les aurez. Il vous faut des vers aussi ?

— Il m'en reste encore... Au fait, vous savez que l'instituteur a pris une truite longue comme ça ?

Le libraire, renouvelant le geste éternel du pêcheur qui décrit la longueur d'un poisson, écarte les mains d'un bon demi-mètre.

Les filles suivent d'une oreille distraite ces propos, lorsque Françoise fait brusquement claquer ses doigts et s'approche de M. Botte. Elle demande :

— Excusez-moi, monsieur, n'est-ce pas vous qui vendez du matériel de pêche ?

M. Botte incline la tête affirmativement.

— Mais oui. Pêche et chasse. Des cannes, des lignes, des hameçons, des appâts... Tout ce qu'il faut pour prendre du poisson. Vous pratiquez la pêche, mademoiselle ?

— Pas précisément... Je voudrais simplement vous demander un petit renseignement.

— Je vous écoute.

— Voilà. Pourriez-vous me dire s'il y a un garde-pêche ici ?

— Ici ? À Goujon-sur-Épuisette ?

— Oui.

— Ah ! Non... à ma connaissance, il n'y en a pas.

— Vous en êtes bien sûr ? Il n'y a pas quelqu'un qui surveille les pêcheurs de l'Épuisette ?

M. Botte se met à rire.

— Les surveiller ? Et pourquoi, mon Dieu ! La pêche sur cette rivière est autorisée pendant certaines périodes de l'année que tout le monde connaît bien, et personne ne commet d'infraction. Si par hasard un braconnier d'eau douce voulait pêcher clandestinement, il aurait affaire à la gendarmerie. Mais à ma connaissance, le fait ne s'est jamais produit.

— Bon... Je voudrais vous demander autre chose... L'île de la Sorcière est une propriété privée ?

— Pas du tout ! C'est un bout de terre qui appartient à la commune.

— Alors, on peut y débarquer ?

— Si le cœur vous en dit. Mais ce n'est guère possible, à cause des roseaux qui l'entourent.

— Bon, très bien. Je vous remercie, monsieur.

— Tout à votre service, mademoiselle. Et si jamais vous avez besoin d'un bon moulinet, de flotteurs ou de plombs...

Intriguée, Ficelle s'approche de son amie et dit :

— Qu'as-tu demandé au monsieur ? Tu parlais de pêche ?

— Oui, répond Françoise. Je viens d'apprendre une chose extrêmement bizarre. Il n'y a aucun garde-pêche dans la région où nous sommes.

— Mais... celui qui nous a chassées de l'île ? Il existe bien, en chair et en os.

— Oui, il existe. Seulement...

— Seulement ?

— Ce n'est pas un vrai garde-pêche. C'est un faux.

— Quoi ?

— Oui, un bonhomme déguisé au moyen d'un uniforme bleu foncé, ce qui lui a permis de nous expulser de l'île.

— Mais... Si ce que tu dis est vrai, pourquoi aurait-il fait cela ? Nous ne faisions rien de mal.

— Je le sais. Il n'empêche que si le bonhomme en question a pris la peine de se faire passer pour ce qu'il n'est pas, c'est dans un dessein bien défini. Il tenait absolument à ce que nous quittions l'île. Nous étions gênantes...

— Mais pourquoi ?

— Ah ! voilà ce que je voudrais bien savoir !

Les trois amies se plongent dans leurs pensées. Françoise tortille une mèche de ses cheveux ; Ficelle ouvre la bouche, levant les yeux au ciel comme pour trouver une réponse dans les nuages ; Boulotte croque d'un air distrait une barre de chocolat fourré à la fraise. Au bout d'un long moment, la grande Ficelle fronce les sourcils, essaie de prendre un air sévère et annonce à voix haute :

— Puisque ce garde-pêche est faux, rien ne nous empêche plus de retourner sur l'île, d'y élever des poules, des lapins ou des kangourous, et d'y planter des patates ou des baobabs !

Elles quittent Goujon-sur-Épuisette à grands pas, bien décidées à mettre sur pied une nouvelle expédition. Ficelle marche en tête, balançant les bras, les traits crispés. Elle grommelle :

— Ah, ah ! On se déguise en faux garde pour nous empêcher de robinsonner ! Vous allez voir de quel charbon je me chauffe, monsieur le bonhomme ! Je vais prendre mes pistolets d'arçon, mon sabre d'abordage et mon casse-tête chinois ! Et je vais vous pulvériser après vous avoir découpé en mille rondelles !

chapitre 11

Prisonnières

Le retour à la ferme se fait en quelques minutes. Ficelle prend la tête de cette nouvelle expédition en lançant des ordres :

— Françoise, occupe-toi des armes. Boulotte, tu te chargeras du réchaud et des provisions. Moi, je vais emporter mon matériel de peinture. Nous emmenons de nouveau le chat. Il est moins encombrant que Pompadour.

Les préparatifs sont bientôt faits. Boulotte embarque les sachets de graines, un gros pain de mie, quelques boîtes de petits pois et trois bouteilles de lait. Françoise se charge des bâtons et Ficelle se munit de ses tubes de peinture. Le chat fait quelques difficultés pour monter à bord de la *Terreur des océans*, mais on en vient à bout.

Au milieu de l'après-midi, le vaisseau des flibustières-robinsonnes met fièrement le cap sur l'île de la Sorcière. Maintenant, l'ennemi n'est plus imaginaire. Il ne s'agit plus d'un Papou théorique, ou de quelque pirate né dans l'imagination fumeuse de la grande Ficelle. L'ennemi est un être vivant, visible : le faux garde-pêche !

Les trois navigatrices débarquent avec bravoure. Asticot, qui apprécie peu les voyages sur l'eau, s'est fourré sous un des bancs de la barque et ne veut plus bouger ; Françoise le prend dans ses bras. Ficelle se met à la tête de la petite troupe et s'avance à grandes enjambées, d'un air intrépide, en faisant de grands moulinets avec un bâton. Boulotte porte une bouteille et le pain de mie.

Elles parviennent sans encombre à la clairière. Ficelle pointe un doigt vers la cabane :

— Nous allons nous installer dans le fortin. Comme cela, si le faux garde-pêche veut nous attaquer, nous pourrons facilement nous défendre.

Françoise pose le chat à terre et part chercher le restant des provisions. Boulotte débouche la bouteille de lait, remplit un gobelet de carton et le tend à Ficelle qui le vide d'un trait, puis s'écrie :

— Il faut que nous prenions des forces ! L'assaut risque d'être rude. Canonniers, à vos postes !

L'absence de canons et de canonniers rend difficile l'exécution de cet ordre, mais Ficelle ne s'en soucie guère. Elle arpente le sol de la cabane, les mains au dos, le sourcil froncé, tel Napoléon avant une bataille. Elle se plante au milieu du fortin pour annoncer à Boulotte :

— La bataille aura sûrement lieu à l'aube !

Ce en quoi elle se trompe complètement, car un bruit de pas se fait entendre à l'extérieur, et le garde-pêche apparaît dans l'encadrement de la porte. Il gronde :

— Comment ? Encore vous ! Combien de fois faudra-t-il vous dire de déguerpir ? Vous vous moquez de moi ? Sortez immédiatement !

Ficelle croise les bras, lève le menton et dit avec dédain :

— Oh ! ne prenez pas vos grands airs de matamore ! Nous sommes très bien dans cette cabane et nous avons l'intention d'y rester. Et ce n'est pas vous qui nous en ferez sortir !

L'homme manque de s'étrangler de rage. Il crie :

— Ah ! je vais vous apprendre à respecter les règlements ! Je vais vous emmener à la prison municipale !

— Chiche !

— Comment ? Vous osez...

— Essayez un peu ! Nous savons très bien que vous n'êtes pas plus garde-pêche que je ne suis turque. Vous êtes un bonhomme déguisé. Le marchand d'asticots nous a renseignées !

L'homme ouvre la bouche comme pour répondre, mais aucun son ne sort. Il demeure silencieux un moment, réfléchissant. Il est évident que les paroles de Ficelle viennent de le surprendre. Mais il réagit vite.

— Très bien. Puisque vous voulez rester dans cette cabane, à votre aise !

Il referme la porte d'un coup brusque et pousse un verrou extérieur. Les deux filles l'entendent éclater d'un rire sinistre et s'éloigner. L'acte inattendu de l'homme jette un certain désarroi dans l'esprit des deux filles. Boulotte bredouille :

— Mais... il nous a enfermées... nous sommes prisonnières...

— Oui, dit Boulotte, et nous sommes dans le noir. Je ne vois plus ma bouteille...

Après avoir médité sur la nouveauté de la situation, Ficelle déclare qu'elle ne présente aucun caractère de gravité, puisque Françoise va revenir dans quelques instants, et qu'elle les délivrera. Boulotte objecte :

— Mais si le faux garde la voit, il va l'enfermer avec nous, et nous ne serons pas plus avancées.

— Il est peut-être parti, maintenant. Attends, il y a une fente le long de la porte. Je vais voir s'il est toujours là.

Ficelle colle son œil contre le bois et glisse son regard vers l'extérieur. Elle ne peut apercevoir qu'une étroite bande de clairière. Rien ne permet d'affirmer que l'homme sera assez loin quand Françoise reviendra.

— Pourvu qu'elle ne se fasse pas prendre ! dit Ficelle.

— Attendons. Je vais toujours grignoter un bout de pain de mie pour passer le temps...

Boulotte entame son pain, pendant que le chat explore les coins de la cabane et renifle les bouteilles vides. La grande Ficelle garde l'œil collé à la fente. Elle annonce :

— Toujours rien en vue. Je ne vois ni le bonhomme ni Françoise. Mais qu'est-ce qu'elle fait ? Voilà bientôt un siècle qu'elle est partie. Il ne faut pas si longtemps pour aller chercher trois boîtes de conserve !

— Quelle heure est-il ?

— Bientôt quatre heures.

— Attendons. Veux-tu du pain de mie ?

— Non, merci. Pas maintenant.

— Alors, je vais en reprendre un peu.

— Tu ferais bien de le ménager, ton pain.

— Pourquoi ?

— Imagine que Françoise ne revienne pas et que nous soyons enfermées ici pendant des semaines... Nous n'avons que ce pain et la bouteille de lait pour tenir le coup.

Cette épouvantable perspective plonge la gourmande dans un abîme d'effroi. Elle gémit :

— Mais nous n'allons pas rester ici pendant des semaines ! Nous serons mortes de faim et de soif bien avant ! Je ne veux pas rester enfermée, moi ! Je veux sortir !

— Il y a une porte.

— On ne peut pas l'ouvrir ?

— Attends un peu que je réfléchisse.

La grande Ficelle réfléchit. Il lui revient à l'esprit un film qu'elle a vu au cours de la semaine précédente : une grande fresque historique avec des chevauchées, des combats en champ clos et le siège d'un château fort.

— Ça y est, j'ai une idée. Dans *Le Neveu de Robin des Bois,* les Écossais enfoncent la porte d'un château fort anglais avec un bélier. On pourrait faire la même chose avec ce banc ?

— Ah ! oui, ton idée est merveilleuse ! Essayons...

Les deux assiégées soulèvent le banc, reculent jusqu'au fond de la cabane, puis Ficelle compte de dix à zéro, et le banc est précipité en avant. Cela fait « Pan ! » puis : « Aïe ! » quand Ficelle, emportée par son élan, vient se cogner à son tour contre la porte. Elle lâche le banc qui retombe sur les pieds de Boulotte, laquelle hurle : « Ouille ! » et recule en écrasant la patte arrière gauche d'Asticot qui pousse un miaulement lamentable.

Nullement découragée par ces légers incidents, Ficelle ordonne de recommencer l'opération. L'élan est, cette fois, bien calculé, et le bélier improvisé frappe de nouveau contre le bois. Ce qui n'a pour résultat que de produire un nouveau « Pan ! » car la porte est fort épaisse.

— Recommençons !

Après avoir frappé une douzaine de fois, les deux amies doivent admettre que la porte et son verrou n'ont pas bougé d'un millimètre. Le banc est remis en place et les deux filles s'y assoient pour reprendre haleine. Il ne leur reste plus qu'à attendre le retour de Françoise.

— Mais qu'est-elle donc en train de fabriquer ? grogne Ficelle.

— Si tu veux mon avis, elle s'est fait repérer par le bonhomme, et il l'a emmenée quelque part.

— Dans une autre cabane, alors ?

— Je ne sais pas. Il n'y a que celle-ci sur l'île.

— Il l'a peut-être emmenée sur une des rives.

— À moins que Françoise n'ait réussi à s'échapper.

— Dans ce cas, elle serait déjà revenue pour nous ouvrir la porte... Oh ! j'entends du bruit... chut ! écoute !

À l'extérieur de la cabane, il y a comme un léger bruit de pas, puis une sorte de froissement de l'herbe quelque part derrière la cabane. Les deux filles retiennent leur souffle, écoutant de toutes leurs oreilles.

Ficelle remet son œil à la fente de la porte, essayant d'observer ce qui se passe. Mais elle ne voit rien, le personnage inconnu étant hors de son champ de vision. Au bout d'un moment, le même froissement d'herbe se reproduit, puis il y a un léger choc contre la paroi arrière du *fortin*.

— Bizarre, dit Ficelle, j'ai l'impression que c'est quelqu'un qui vient de se servir de l'échelle...

— Le garde ?

— Non, ce n'était pas son pas pesant, au contraire. Je suis épouvantablement intriguée !

Elles écoutent encore, mais les pas discrets se sont éloignés. Et c'est de nouveau le silence. Boulotte commence à ressentir des picotements dans son estomac insatiable, mais elle n'ose plus toucher au pain de mie, épouvantée à l'idée de supporter une longue captivité qui la conduirait peut-être à manger le chat, sa ceinture de cuir et ses souliers. Alors qu'elle va pour demander une fois de plus à Ficelle combien de temps durerait leur emprisonnement, il se produit de nouveau un bruit de pas, accompagné par la conversation de deux voix d'hommes. Les deux amies reconnaissent l'une d'elles : celle du faux garde.

Le loquet est repoussé et la porte s'ouvre. C'est bien le garde, accompagné d'un autre individu dont la mine est assez antipathique, qui examine les prisonnières en fourrageant dans une chevelure peu habituée sans doute à l'usage du peigne. Il demande d'une voix traînante :

— Dites donc, vous deux, savez-vous nager ?

Les deux filles sursautent. La question est pour le moins inattendue. Ficelle aspire un grand coup d'air pour se donner du courage et dit :

— Moi, je sais nager un peu, là où j'ai pied.

— Et l'autre ?

— Moi, dit Boulotte, je ne sais pas. Mais je vais apprendre l'année prochaine.

L'homme ricane :

— Tu n'en auras pas le temps ! Allez, sortez de là !

Les prisonnières obéissent craintivement. Les deux hommes les empoignent et les conduisent sans perdre de temps jusqu'à l'endroit où se trouve la *Terreur des océans*. L'homme mal coiffé commande :

— Maintenant, embarquez ! Et qu'on ne vous revoie plus ! Bon vent !

D'un coup de pied, il repousse la barque où ont pris place Boulotte, Ficelle et le chat que cette dernière tient dans ses bras. La barque glisse entre les roseaux et commence à dériver au fil de l'eau. Ficelle soupire :

— Eh bien, nous voilà expulsées pour la seconde fois ! Mais je suis têtue ! Je vais revenir. J'emmènerai Pompadour pour qu'elle morde ces vilains affreux ! En attendant, je voudrais bien savoir où se trouve Françoise. À mon avis...

Mais la grande fille n'a pas le temps de donner son avis, car Boulotte pousse un cri en désignant le fond de la barque :

— Regarde ! De l'eau ! Il y a un trou !

Effectivement, la barque se remplit à vue d'œil. Cette constatation épouvante la pauvre Ficelle.

— Nous coulons ! Ce sont eux qui ont fait ce trou dans le bateau ! Je comprends maintenant pourquoi ils nous ont demandé si nous savions nager...

— Pourquoi ?

— Parce que si nous avions su, ils n'auraient pas employé ce moyen pour nous supprimer. Ils veulent nous noyer !

— Mais il faut faire quelque chose...
Appeler au secours...

— Je veux bien, mais il n'y a personne pour
nous entendre.

Les deux amies se mettent à pousser
des clameurs suraigües qui auraient percé
le tympan des auditeurs, s'il y en avait eu.
Mais, hélas ! les deux rives sont parfaitement
désertes. Boulotte se lamente :

— C'est affreux ! Si l'eau continue de
monter, le pain d'épice va être tout mouillé !

La barque s'enfonce de plus en plus. Pour
être bien certains qu'elle sombrera, le garde
et son complice l'ont lestée avec une lourde
chaîne enroulée autour d'une banquette, et
cadenassée.

La situation tourne au tragique. L'eau
atteint le niveau du bord. Les deux filles
poussent des cris épouvantables, tandis
qu'Asticot, qui sent le danger, sort ses griffes
pour s'accrocher au cou de Ficelle. Encore
quelques secondes, et les deux amies vont
jouer les naufragées tout de bon !

C'est alors qu'apparaît, au ras de l'eau, un
mince kayak bleu qui remonte le courant
à toute allure, propulsé par les vigoureux
mouvements d'une pagaie double que manie
une sorte de lutin noir, rouge et jaune, dont

le visage disparaît sous un masque. Ficelle pousse un nouveau cri en reconnaissant la justicière qu'elle a déjà eu l'occasion de voir à plusieurs reprises.

— Fantômette !

Le kayak se rapproche de la barque en perdition. Boulotte et Ficelle réussissent à s'y installer à califourchon, tandis que la *Terreur des océans* disparaît dans un grand tourbillonnement.

— Merci ! dit Ficelle. Vous êtes arrivée juste à temps. Une seconde de plus, et nous risquions d'être dévorées par les requins ! Comment vous êtes-vous trouvée là ? C'est par hasard ?

Pour toute réponse, Fantômette se contente de sourire. Elle dirige le kayak vers la rive gauche, et quelques instants plus tard les deux naufragées peuvent y prendre pied, cependant qu'Asticot y prend patte avec une satisfaction visible. Fantômette vire de bord et pique de nouveau vers l'île de la Sorcière. Boulotte crie :

— Vous ne venez pas dîner avec nous à la ferme ? Je vous ferai une bonne omelette...

Mais la jeune justicière secoue la tête en souriant de nouveau. Elle fait un petit salut de la main et s'éloigne.

— C'est une chance inouïe qu'elle se soit trouvée là, dit Ficelle, juste à l'instant où nous allions nous noyer !

— Oui, quand nous raconterons cela à Françoise, elle ne voudra pas nous croire !

Elles reprennent lentement le chemin de la ferme. Ficelle s'arrête soudain en se frappant le front :

— Mais... je pense à une chose... Nous n'allons pas pouvoir raconter cette aventure à Françoise.

— Pourquoi ?

— Parce que Françoise est toujours sur l'île !

— Tiens, c'est vrai, ça ! À moins qu'elle soit partie à la nage.

— Ah ! en effet, je n'y avais pas pensé. Elle nage aussi bien qu'une otarie...

Et Ficelle soupire en pensant qu'elle est bien loin de pouvoir atteindre les performances de son amie. Boulotte soupire aussi, mais pas pour les mêmes raisons : elle songe aux boîtes de conserve qui sont restées dans la barque, et qui gisent maintenant au fond de la rivière. Elle fait part de cette triste pensée à Ficelle qui lui dit pour la consoler :

— Ne t'inquiète pas. Dès que je saurai nager parfaitement, j'achèterai un équipement de plongée sous-marine et j'irai récupérer tes petits pois !

chapitre 12

Signé :
Fantômette

— Dis-moi, Gobe-Mouches, es-tu bien certain qu'elles vont couler ?

— À pic ! Oui, avec le trou que j'ai fait et la chaîne que j'ai attachée, elles n'ont aucune chance d'en sortir. On croira à un accident. Cela leur apprendra à se rendre sur une île réputée dangereuse.

— Et si la police drague le fond de la rivière et repêche la barque ? On verra bien alors qu'elle a été sabotée ?

— S'ils font du dragage, nous partirons, voilà tout. D'ici là, nous ne risquons absolument rien. Alors qu'au contraire il aurait été dangereux de laisser filer deux témoins gênants. Mais occupons-nous plutôt de nos petites affaires. Quelle est la prochaine bijouterie ?

Les deux hommes sont allongés sur l'herbe de la clairière, devant la cabane. Celui que le faux garde a appelé Gobe-Mouches – l'homme mal peigné – mordille un bout de bois tout en fourrageant dans ses cheveux. Il écoute attentivement le garde qui a sorti un calepin d'une poche et le feuillette.

— Voyons... la dernière bijouterie était celle du nommé Topaze. La prochaine, c'est *Le Carillon suisse,* d'un certain Turquoise. Nous l'attaquons comme d'habitude ?

— Bien sûr. Vendredi prochain, à dix heures du matin.

— Parfait ! J'espère que cette fois nous n'allons pas perdre notre pare-chocs !

— Oui. Je me demande encore comment cela a pu se produire.

— À mon avis, tu as démarré tellement vite que tu as accroché une des voitures qui étaient en stationnement devant l'horlogerie.

— Cela m'étonne. Je n'ai jamais d'accrochage.

— Bah ! Pour une fois, ce n'est pas grave. N'y pensons plus et occupons-nous plutôt de faire nos comptes du mois. Le total des bijoux que nous avons raflés doit être assez joli. Va les chercher.

Gobe-Mouches se relève, avant de s'en aller prendre l'échelle derrière la cabane. Il l'apporte contre le peuplier. Puis il escalade les échelons jusqu'au niveau des premières branches et glisse la main dans une crevasse du tronc, qui est invisible depuis le sol.

— Envoie le sac ! commande le garde.

L'autre tâtonne dans l'ouverture, pâlit et annonce d'une voix étranglée :

— Il... il n'y est plus !

— Quoi ! Que dis-tu...

— Non, il n'y est pas...

— Allons donc ! Qu'est-ce que tu me chantes ? Cherche bien ! Il est peut-être tout au fond...

— Mais non... je... Qu'est-ce que c'est ?

Gobe-Mouches vient de retirer sa main. Il tient une feuille de papier pliée en quatre. Il l'ouvre, l'examine et pousse un rugissement. Le garde demande :

— Que se passe-t-il ? Quel est ce papier ?

L'autre redescend précipitamment et lui tend la feuille. Quelques mots y sont tracés au stylo à bille rouge :

Désolée de vous causer une petite déception, mais j'ai l'intention de rendre ces bijoux à leurs légitimes propriétaires. Je vous conseille de chercher désormais un travail plus honnête. Vendez des cacahuètes ou plantez des patates, mais n'attaquez plus les bijouteries, sinon je me fâcherai tout de bon.

Signé : FANTÔMETTE.

En grognant, le garde fronce les sourcils.

— Quelle est cette plaisanterie stupide ? Si c'est une farce, elle est de mauvais goût. Qui est cette Fantômette ? Tu connais, toi ?

— J'ai vaguement entendu parler d'une jeune fille qui capture les voleurs. Ce doit être elle...

— Allons donc ! Une fable, une légende !

Il relit le texte, puis après avoir froissé la feuille, la jette à terre. Il grince des dents :

— Cela ne me paraît pas croyable. Il n'y a que nous deux qui connaissions cette cachette...

Il grimpe à son tour à l'échelle, vérifie que le sac aux bijoux n'est plus là et redescend, songeur. Il se croise les bras et médite pendant un moment. Puis soudain, il se jette sur son complice, l'empoigne par les revers de son veston et le secoue brutalement en criant :

— C'est toi, hein ? C'est toi qui as fait le coup ? Tu as caché le sac quelque part et tu veux me faire croire que c'est cette Fantômette imaginaire qui s'en est emparée ? Avoue ! Mais avoue donc, canaille ! Tu veux garder tout le magot pour toi !

Gobe-Mouches se débat en protestant. Fou de rage, le faux garde le renverse à terre et commence à lui infliger une correction de grand style.

C'est alors que s'élève une petite voix ironique qui dit :

— Bravo, mon cher garde ! Allez-y ! Encore un coup ! Pan ! Arrangez-lui la physionomie, à ce vilain voleur de bijoux ! Voilà qui fait plaisir à voir !

Le garde se retourne. Fantômette est adossée au peuplier, une main sur la hanche, l'autre faisant tournoyer une fleur qu'elle vient de cueillir.

— Qui êtes-vous ? demande le garde en lâchant son complice.

— Qui je suis ? Mais... cette fameuse Fantômette.

— Comment ! C'est vous qui avez pris les bijoux dans l'arbre ?

— Ma foi, oui.

— De quel droit ?

— Ha, ha ! Et de quel droit les aviez-vous pris dans des bijouteries ?

— Mais... Comment le savez-vous ? Vous êtes au courant de... nos activités ?

— Oui. Je m'occupe de vous depuis un certain temps. C'est moi, par exemple, qui vous ai fait perdre votre pare-chocs. Je l'avais attaché à un bec de gaz. Dommage qu'il ait été arraché, sans quoi vous seriez actuellement entre quatre murs solides.

— Quoi ? Vous aviez prévu que nous allions attaquer l'horlogerie Topaze ?

— Oui. C'était facile à deviner. Vous avez commis l'énorme imprudence de faire vos coups à dates régulières, le vendredi à dix heures. Et de plus, en consultant les journaux parus pendant le mois, j'ai remarqué que vous choisissiez vos victimes tout bêtement par ordre alphabétique. L'attaque précédente s'étant produite chez un certain Saphir, la victime suivante devait être automatiquement un bijoutier dont le nom commencerait par un S ou un T. C'est évidemment M. Topaze qui allait recevoir votre visite lors du prochain vendredi, à dix heures. Et c'est effectivement ce qui s'est produit.

— Et comment se fait-il que vous n'ayez pas prévenu la police ?

— Je comptais bien vous arrêter moi-même. Et si votre pare-chocs n'avait pas été délabré...

Gobe-Mouches s'est relevé en frottant un œil qui commence à prendre une teinte violette. Il grogne :

— Tout ça ne nous dit pas comment vous avez découvert les bijoux. Ils étaient pourtant bien cachés !

— Oui. Mais vous avez commis une autre erreur. C'est de laisser traîner cette échelle géante. Dans quel dessein ? Pour dénicher des oiseaux ? Non, on ne prendrait pas la peine d'apporter un tel monument jusqu'ici, si ce n'était dans une intention bien précise, et plus sérieuse que la chasse aux oisillons. Alors ? J'ai jeté un coup d'œil au pied de ce peuplier qui se dresse tout seul au milieu de la clairière. Un arbre qui saute aux yeux, n'est-ce pas ? Les pieds de l'échelle ont imprimé dans le sol deux creux bien visibles, ce qui prouvait que quelqu'un s'en servait pour grimper à l'arbre. C'est ce que j'ai fait moi aussi. Et voilà comment les bijoux se sont envolés. Ce pauvre Gobe-Mouches n'y est pour rien.

Les deux hommes serrent les poings. Le garde s'avance vers Fantômette en grondant :

— Vous allez me payer ça ! Je vais vous faire votre affaire !

Fantômette se met à rire :

— Une autre fois, cher monsieur. Pour aujourd'hui, je crains bien qu'il ne soit trop tard.

— Comment ?

— Sans doute. Regardez cette petite chose qui est en train de remonter la rivière...

Les deux hommes tournent la tête. Une vedette de couleur grise, bourrée de policiers, se rapproche de l'île à toute allure. Les deux voleurs poussent une exclamation de rage. Le garde crie :

— Vite, Gobe-Mouches, filons ! Au bateau ! Il est de l'autre côté de l'île... Nous avons une chance de nous en tirer ! Quant à vous, la dénommée Fantômette, je vous jure que je vous retrouverai !

En brandissant le poing, il s'éloigne au pas de course, suivi par son complice, qui tremble de peur.

Fantômette agite la main et lance :

— Entendu, au revoir ! Et n'oubliez pas de vous déguiser en pêcheurs pour naviguer

130

sur votre petit bateau ! Si vous attrapez des ablettes, mettez-m'en une douzaine de côté !

Les deux hommes traversent l'île dans sa largeur et atteignent le point où ils ont coutume d'amarrer leur barque. Le garde pousse un cri :

— Le bateau ! Il n'est plus là ! Quelqu'un a coupé l'amarre !

— C'est encore elle ! Cette Fantômette de malheur ! Regarde, la barque est là-bas... elle dérive dans le courant !

— Nous sommes isolés... plus moyen de quitter l'île...

— Revenons à la cabane, en la démolissant, nous pourrons en faire un radeau. Dépêchons-nous !

Ils reviennent en courant dans la clairière, se précipitent vers la cabane.

C'est alors qu'ils entendent des coups de sifflet, et qu'ils voient apparaître les uniformes bleus des policiers.

Épilogue

L'oncle Arthur, Ficelle et Boulotte commencent à être sérieusement inquiets sur le sort de Françoise. L'oncle est sur le point d'alerter la police, lorsqu'une silhouette bien connue apparaît au portail de la ferme.

— Françoise ! s'écrie Ficelle, où étais-tu ?

La brunette lance en l'air une badine qui tournoie, et la rattrape adroitement en disant :

— Je suis allée me promener...

— Comment ! Tu te promenais pendant que les gangsters de l'île nous noyaient ! Heureusement que Fantômette était là pour nous sauver ! Elle est arrivée juste à temps...

— Tu m'en vois ravie, ma chère. Il eût été dommage de te perdre. J'aurais versé des larmes de crocodile...

— Oh ! Tu peux plaisanter ! C'est très sérieux, ce que je te dis !

— Vraiment ?

— Je pense bien ! Figure-toi que les pirates nous avaient enfermées dans la cabane, pendant que tu étais retournée au bateau pour prendre les boîtes de conserve...

Et la grande Ficelle fait le récit de la captivité, puis du naufrage, et décrit par le détail la miraculeuse intervention de Fantômette.

— Tu te rends compte ? Fantômette à Goujon-sur-Épuisette ! C'est extraordinaire, n'est-ce pas ? On croirait qu'elle nous suit dans tous les endroits où nous nous rendons !

— Oui, c'est bizarre.

— Mais, évidemment, ce n'est pas nous qui l'intéressons. Elle n'est venue ici que pour arrêter les bandits. Quand elle nous a quittées, elle est repartie vers l'île dans son kayak. Je suis certaine qu'en ce moment, elle a déjà ficelé ces affreux bonshommes.

— Oh ! ma chère Ficelle, cela m'étonnerait. Les policiers ont dû s'en charger.

— Quels policiers ? demande l'oncle Arthur.

— Ceux que je viens de voir. Ils remontaient le courant à bord d'une vedette rapide.

— Mais, comment ont-ils su qu'il y avait des voleurs sur l'île ? s'enquiert Boulotte.

— J'imagine que Fantômette les aura prévenus par téléphone avant d'opérer votre fameux sauvetage.

— Et toi, comment as-tu fait pour quitter l'île ?

— Moi, dit Ficelle, je le sais : elle est revenue à la nage. C'est une petite performance de rien du tout... quand on sait nager là où l'on n'a pas pied.

L'oncle Arthur pousse un grand soupir :

— Ouf ! mes jeunes amies, je suis content que cette aventure se soit aussi bien terminée. Je n'aurais jamais imaginé que mes pensionnaires allaient se trouver aux prises avec des bandits, sans quoi je me serais bien gardé de les inviter !

— Oh ! dit Ficelle, c'eût été bien dommage ! Voilà le genre de vacances qui me plaît ! Pirates, naufrages... il ne manque qu'un trésor...

— Non, il existe. Les voleurs cachaient leurs bijoux dans le grand peuplier, en utilisant l'échelle.

— Comment ? Il y avait *réellement* un trésor dans l'île ?

— Mais oui.

— Alors, j'avais bien raison de le chercher !

— C'est vrai. Sauf qu'il fallait regarder en l'air au lieu de creuser dans le sol.

— Eh bien, je reste persuadée qu'il y a également un trésor enfoui : celui de la sorcière ! Maintenant qu'il n'y a plus de voleurs, nous pouvons retourner dans l'île et nous y installer tout de bon.

— Bonne idée. Tu emporteras un manteau noir, un chapeau pointu et un balai : tu feras la sorcière.

— Avec un grand chaudron, ajoute Boulotte, pour faire cuire des philtres magiques...

— Des œufs de crapaud mâle, des langues de vipères et des oreilles de griffons ?

— Oh, non ! dit la gourmande. Nous y ferons cuire des fruits pour faire de la confiture, nous confectionnerons des sauces, du bouillon, des choux farcis, nous mijoterons de bons ragoûts, de belles pommes de terre

mélangées à des herbes fines, nous prépare-
rons des poules au pot, des coqs au vin, des
truites, des saumons, des homards...

Boulotte doit interrompre son énumération, mais elle le fait sans regret aucun.

Car c'est l'heure du dîner.

Déjà en librairie !

Retrouve les aventures
de la justicière masquée dans :

*Les exploits
de Fantômette*

Découvre tout de suite un extrait
d'une autre aventure
de la justicière masquée :

*Fantômette et
le trésor du pharaon*

chapitre 1

Le retour de Fantômette

Fantômette enlève son bonnet et son masque noir, dégrafe sa cape de soie, retire son justaucorps jaune pour enfiler un pyjama rose.

En quelques secondes, elle cesse d'être la redoutable justicière qui terrorise bandits et voleurs, pour redevenir une jeune personne aux yeux rieurs, semblable à n'importe quelle fille dont personne n'aurait songé à se méfier.

« Ouf ! Ça fait du bien de se retrouver chez soi ! »

Elle vient de vivre une aventure mouvementée, qui l'a opposée à un extraordinaire géant[1],

---

1. Voir *Fantômette contre le géant*, dans la même collection.

et retrouve maintenant avec plaisir ses ballerines de cuir rouge et sa télévision, devant laquelle elle a rarement le temps de s'installer. C'est bien rare en effet qu'elle puisse s'offrir le luxe d'une soirée devant le petit écran. On ne peut pas s'attarder à la maison, lorsqu'on emploie tout son temps à la chasse aux bandits !

Un verre de lait à la main, elle prend place dans un vaste fauteuil et met en marche la télé. Une série de publicités vantent les qualités des ouvre-boîtes Machin, du poil à gratter Chose, et des chaussettes Truc. Un présentateur parle ensuite de la conférence internationale des conférenciers internationaux.

Fantômette est sur le point de s'endormir, la nuit étant déjà tombée depuis un assez long moment, quand elle rouvre soudainement les yeux et écoute attentivement.

L'information suivante concerne la venue à Paris d'un savant au nom bizarre, le professeur Pflafluff. Le savant, spécialisé dans l'étude de l'Égypte ancienne, affirme avoir retrouvé la trace d'un trésor ayant appartenu au pharaon Ramsès IV. Une séquence en images montre l'égyptologue à sa descente d'avion. Il a un nez pointu et de grosses lunettes. Sa courte vue lui fait rater les marches de la passerelle, et il serait tombé de l'avion si un passager ne l'avait retenu par le col.

Puis il est accueilli par les reporters massés au pied de la passerelle, qui l'assaillent de questions.

— Professeur, de quoi se compose le trésor ?

— Est-il vrai qu'il serait caché en France ?

— Comment êtes-vous venu à l'égypto-logie ?

— Depuis combien de temps vous occupez-vous de Ramsès IV ?

— Que représente pour vous la découverte d'un trésor ancien ?

Le professeur Pflafluff lève la main pour calmer les journalistes et répond tranquillement :

— Un moment ! Je ne prétends pas avoir découvert le trésor de Ramsès IV. Mais j'ai de bonnes raisons pour penser que, premièrement, ce trésor existe, et deuxièmement, qu'il est peut-être en France. Toutefois, je dois d'abord procéder à certaines vérifications. Après... je dis bien, après seulement, et si ces vérifications confirment mes théories, je dirai ce que je sais.

— Et quand aurez-vous terminé, professeur ?

— J'espère pouvoir tenir une conférence de presse dès demain matin.

— Peut-on avoir déjà une idée de l'endroit où doit se trouver ce trésor ?

— Je ne veux rien révéler pour l'instant. Sachez seulement que si les faits confirment mes suppositions, le monde entier sera étonné !

Sur cette affirmation impressionnante, le journal télévisé prend fin. Fantômette éteint le poste, puis s'étire en bâillant.

« Allons, il est temps d'aller au dodo. J'ai eu une journée chargée. »

Elle se glisse dans son lit et ferme les yeux. Mais le sommeil tarde à venir. Pendant une bonne demi-heure, elle tourne et retourne dans son esprit les étranges paroles du professeur Pflafluff. Comment le trésor d'un antique pharaon peut-il se trouver en France ? Qui l'y a apporté ? Quand ? Pourquoi ? Mais surtout, où ? ... Où donc l'a-t-on caché ?

« Bah ! J'ai bien tort de me casser la tête pour un problème qui se résoudra tout seul. Attendons demain soir, et je serai fixée. »

Elle s'endort alors pour de bon. Peut-être n'aurait-elle pas fermé l'œil de la nuit si elle avait pu se douter de ce qui allait arriver au cours des jours suivants, à cause de ce trésor...

chapitre 2

Antiquités égyptiennes

— Je me demande pourquoi on ne lui a pas fait de bras, à cette Vénus de Milo ? ... C'est comme la Victoire de Samothrace... Celle-là, en plus, elle a la tête... en moins ! ... Ah ! les sculpteurs de l'Antiquité étaient drôlement étourdis, pour oublier de leur faire des têtes et des bras !

Nez en l'air dans une des galeries du Louvre, la grande Ficelle fait partie d'un groupe d'écoliers venus visiter le musée sous la conduite de leur institutrice, Mlle Bigoudi. Près de Ficelle (blonde, mince au point de ressembler de très près à une aiguille à tricoter) se trouve Boulotte, une bonne dodue aux joues rebondies qui s'intéresse beaucoup moins à la sculpture qu'au bâton de nougat praliné qu'elle tient en main.

Une troisième fille – une brune à l'œil malicieux – demande à Ficelle :

— Tu ne penses pas que ces statues ont perdu leurs membres par accident, au cours des siècles ?

— Ah ! Tu crois, Françoise ? On les a cassées, alors ? comme des assiettes ?

— Oui.

— Oh ! Quel dommage !

Ficelle médite une seconde, puis remarque :

— En tout cas, ça a dû être plus commode pour les emballer et les expédier jusqu'ici...

L'institutrice vient interrompre les réflexions de la grande fille.

— Nous allons maintenant descendre vers les galeries des antiquités égyptiennes. Allons, suivez-moi !

Le groupe abandonne les sculptures grecques pour suivre Mlle Bigoudi vers le sous-sol. Quand son petit troupeau s'y trouve réuni, l'institutrice désigne une plaque de pierre couleur de sable, accolée au mur, et éclairée par des rampes lumineuses.

— Voici ce que l'on appelle une stèle. Ce

sont des pierres calcaires sur lesquelles sont sculptés des hiéroglyphes, l'écriture ancienne des Égyptiens.

Ficelle, habituellement étourdie, a pour une fois écouté attentivement. Elle lève un doigt, comme elle le fait en classe, avant de demander :

— Alors ces grandes pierres, c'étaient des sortes de livres ?

— Oui, répond Mlle Bigoudi, puisque à cette époque on n'avait pas encore inventé le papier et l'imprimerie.

— Eh bien, ça devait être drôlement lourd à apporter en classe, des livres comme ceux-là !

L'institutrice se contente de soupirer. Depuis longtemps, elle a renoncé à faire des réflexions en entendant les énormités que profère son élève. Elle entraîne le groupe vers une vitrine contenant une petite sculpture qui représente le dieu Horus, un homme à tête de faucon. Ficelle est très impressionnée par la figurine.

— Si je rencontrais un bonhomme comme ça au coin de la rue, j'aurais une de ces peurs ! Oh ! là ! là ! Rien que d'y penser, je me sens devenir chauve ! Tu te rends compte, Françoise ?

Mais la brunette regarde ailleurs, vers un angle de la salle. Ficelle tourne la tête pour voir ce qui retient l'attention de son amie. Un homme aux yeux cerclés de lunettes, au nez pointu, lève son regard vers une des stèles. Il approche son nez de la pierre, se recule, gesticule, pousse des exclamations, enlève ses lunettes pour les essuyer, les remet en place et marmotte des paroles indistinctes. Ficelle se penche vers Françoise et murmure :

— C'est bizarre... J'ai l'impression de l'avoir déjà vu, ce bonhomme... Sa tête me dit quelque chose... Pas toi ?

— Si, dit Françoise, je le reconnais. Je l'ai vu à la télévision. C'est le professeur Pflafluff.

— Ah ! oui, tu as raison, c'est bien lui ! Le savant qui a retrouvé le trésor de Ramsès je ne sais plus combien. Oh ! je vais le prendre en photo ! C'est une occasion magnifique ! Je le mettrai dans mon album de célébrités !

— Tu photographies les hommes célèbres, maintenant ?

— Oui. Je vais faire un album qui aura une valeur formidable dans deux ou trois siècles !

La grande fille sort de son étui un petit appareil photo, s'approche du professeur qui continue d'examiner la stèle en poussant des exclamations, et regarde dans l'écran. Puis elle appuie sur le bouton. Le savant n'observe pas son manège, tant il est absorbé par la pierre antique. Ficelle prend une autre photo, recule pour avoir une vue générale de la salle. C'est alors qu'elle se heurte contre un visiteur qu'elle n'a pas pu voir, puisqu'il se trouve derrière son dos. Un homme brun, au teint bronzé, qui a un geste d'agacement et dit d'un ton sec :

— Vous ne pouvez pas regarder où vous mettez les pieds, non ?

— Heu, balbutie Ficelle, je ne vous avais pas vu, monsieur.

— Je m'en aperçois !

L'institutrice s'approche, les sourcils froncés. Elle s'adresse au visiteur :

— Je vous prie de l'excuser, monsieur. Cette fille est très étourdie.

— Bon, d'accord. Mais dites-lui de regarder un peu où elle marche.

L'homme tourne le dos à Mlle Bigoudi et s'approche de la stèle qu'examine le professeur. L'institutrice s'adresse à Ficelle pour lui dire sévèrement :

— Mademoiselle Ficelle, tâchez de vous conduire convenablement. Si vous continuez à créer des incidents de cette sorte, vous ne prendrez plus part à nos sorties.

— Mais je ne l'ai pas fait exprès, moi !... C'est en reculant...

— Taisez-vous. Je ne tiens pas à connaître vos raisons. Restez à côté de moi.

Ficelle grogne, se renfrogne, lève les yeux au ciel. Puis elle murmure :

— Je m'en moque pas mal, des visites de musées. Qu'est-ce que j'en ai à faire, moi, des sculptures de Machin et des tableaux de Un Tel ? J'aimerais mieux aller au cinéma, voir les aventures de *La Princesse au Grand Cœur...* Peuh ! Miss Bigoudi nous emmène toujours voir des vieilleries. Les ruines de ceci, les vestiges de cela... Des tableaux qui datent du grand-père de Mathusalem... Et des statues qui n'ont même pas de bras ! ... Ah ! là ! là ! Si j'avais su, je serais restée dans ma niche, à contempler ma collection d'épingles à cheveux !

Ficelle n'a pas été la seule à remarquer la présence du professeur Pflafluff. D'autres camarades ont reconnu l'égyptologue. Peut-être se seraient-ils risqués à lui demander des autographes, si Mlle Bigoudi ne les avait entraînés vers une autre salle. Le savant peut donc continuer d'examiner sa stèle sans être dérangé, sous l'œil de l'inconnu au teint bronzé qui semble, lui aussi, très intéressé par l'antique bloc de pierre.

Quand la visite des salles égyptiennes est terminée, Mlle Bigoudi donne l'ordre à ses élèves de remonter au rez-de-chaussée. En repassant devant la stèle, ils constatent l'absence du professeur. Ficelle prend Françoise à part pour lui chuchoter à l'oreille :

— Tu crois qu'il est venu ici à cause du trésor ? Peut-être faisait-il les fameuses vérifications dont il a parlé à la télé ?

— C'est possible en effet. Je regrette de ne pas savoir déchiffrer les hiéroglyphes, sinon j'aurais pu lire ce qui est écrit sur cette stèle.

Françoise jette un coup d'œil sur la petite pancarte fixée sous la pierre. L'indication est assez sommaire : *Stèle du scribe Ptolémaïs. 1170 av. J.-C. Récit des funérailles du pharaon Ramsès IV.*

Ficelle hoche la tête.

— Ce ne doit pas être un texte bien gai. Je me demande s'il leur arrivait d'écrire des histoires drôles... Tu sais, Françoise, comme celle de la petite vieille qui avait tondu son mouton. Tu la connais, cette histoire ?

— Non. Pourquoi avait-elle tondu son mouton ?

— Pour avoir de la laine, tiens. Et sais-tu pourquoi elle avait besoin de laine ?

— Non.

— Pour lui tricoter un petit manteau afin qu'il n'attrape pas froid, puisqu'il n'avait plus rien sur le dos.

Mlle Bigoudi tape dans ses mains.

— Allons, les retardataires ! ... Ficelle, Françoise, Boulotte ! Venez un peu par ici ! Dépêchez-vous !

Les trois amies se hâtent de rejoindre le groupe qui, peu après, se trouve réuni à la sortie du musée. Mlle Bigoudi procède à l'appel de tous ses élèves, au cas où l'un d'eux serait resté en contemplation devant la Joconde. Tandis qu'elle s'absorbe dans cette vérification, Françoise aperçoit un homme à lunettes qui s'éloigne vers le jardin des Tuileries en agitant les bras. C'est le professeur Pflafluff, qui semble extrêmement surexcité. La fameuse vérification qu'il devait faire a-t-elle donné des résultats positifs ? Le savant sait-il réellement où se cache le trésor ? Son comportement le laisse supposer...

Alors qu'il descend du trottoir au risque de se faire écraser par le flot des voitures, Françoise remarque que l'homme bronzé bousculé par Ficelle sort lui aussi du musée. Il fait signe à un autre individu, brun également, lui dit quelque chose en désignant le professeur du menton. Françoise peut attraper un mot au passage : « *Akholoutisté mé !* » Puis les deux hommes prennent à leur tour la direction des Tuileries. Françoise a l'impression d'avoir vu auparavant le premier des deux. Impression très fugitive d'ailleurs, sur laquelle elle n'a pas le temps de s'attarder. Déjà Mlle Bigoudi fait mettre tout le monde en rang avec autorité, et compte pour la centième fois son troupeau de brebis. On se met en marche en direction du métro Port-Royal-Musée-du-Louvre. En cours de route, Ficelle donne à ses amies des précisions sur ses projets :

— Dès que j'aurai fait développer les photos du professeur Pflafluff, je les collerai dans mon album de personnalités célèbres, sur une page de gauche. Et sur la page de droite, j'écrirai sa bibliographie.

— Qu'est-ce que c'est, une bibliographie ? demande Boulotte en entamant un nouveau bâton de nougat (elle en a emporté tout un stock dans un sac en plastique).

— Comment ? tu ne sais pas ce que c'est ? Une bibliographie, c'est... heu... l'histoire de quelqu'un... quand on raconte sa vie.

Françoise intervient :

— Ma chère Ficelle, je crois que tu confonds avec *biographie*.

— Ah ? Tu crois ? Enfin, je vais raconter

dans mon album la vie des gens célèbres de notre époque.

Boulotte retire le nougat de sa bouche pour demander :

— Et tu as déjà beaucoup de monde, dans ton album ?

— Oh ! non... Pour l'instant il n'y a que moi. J'ai collé ma photo et j'ai écrit ma biblio... bilio... graphie de fille célèbre. J'ai marqué que je m'appelle Ficelle, que je suis très jolie et suprêmement intelligente. Je suis vraiment une personnalité extra !

Ce dialogue a lieu à voix non pas haute, mais stridente. Le grondement incessant des voitures est tel que les amies doivent hurler pour se faire comprendre. Ficelle fait un tel usage de sa voix suraiguë, que Mlle Bigoudi doit intervenir pour la faire taire. La grande fille se renfrogne :

— « Ficelle, taisez-vous ! Ficelle, taisez-vous ! » Ah ! là ! là ! C'est tout ce qu'elle sait dire ! On se croirait en classe... Si elle compte sur moi pour la faire figurer dans mon album de personnalités célèbres, elle peut toujours attendre cent huit ans !

La petite armée envahit les quais du métro et s'aligne en bon ordre. L'institutrice ne procède pas à un appel nom par nom, mais compte les élèves et en trouve vingt, ce qui correspond au nombre marqué sur son carnet. Deux minutes plus tard, une rame de métro est prise d'assaut, Ficelle en tête. Elle monte en s'écriant :

— Je suis toujours la première partout !

Elle oublie qu'elle est la dernière de sa classe dans presque toutes les matières. Sauf en gymnastique, où Boulotte a la spécialité de se classer régulièrement en queue du peloton.

Une heure plus tard, tous les élèves regagnent leurs maisons. Ils savent déjà que dans le courant de la semaine suivante, une rédaction aura pour sujet : *La visite d'un musée.*

Et retrouve vite Fantômette dans les autres tomes de la série :

Table

PAPIER À BASE DE FIBRES CERTIFIÉES

⊞ hachette s'engage pour l'environnement en réduisant l'empreinte carbone de ses livres. Celle de cet exemplaire est de : **450 g éq. CO_2** Rendez-vous sur www.hachette-durable.fr

Composition *JOUVE* – 45770 Saran
N° 612278L
Imprimé en Roumanie par G. Canale & C. S.A
Dépôt légal : juin 2011
Achevé d'imprimer : mars 2018
20.2427.1/08 - ISBN 978-2-01-202427-4

Loi n° 49-956 du 16 juillet 1949
sur les publications destinées à la jeunesse.